LA SYNTAXE DU FRANÇAIS

DU MÊME AUTEUR

DANS LA COLLECTION « QUE SAIS-JE ? »

La stylistique, n° 646 (traductions espagnole, norvégienne, japonaise).
La sémantique, n° 655 (traductions espagnole, japonaise).
L'argot, n° 700.
La grammaire, n° 788.
Les locutions françaises, n° 903.
Les patois et les dialectes (à paraître).
L'ancien français (à paraître).

AUTRES OUVRAGES

Les sources médiévales de la poésie formelle : la rime, J. B. Walters, Groningen, 1952.

Langage et versification d'après l'œuvre de Paul Valéry. Etude sur la forme poétique dans ses rapports avec la langue, Paris, Klincksieck, 1953.

Index du vocabulaire du symbolisme, 6 fasc. : *Alcools* d'APOLLINAIRE, *Poésies* de VALÉRY, *Poésies* de MALLARMÉ, *Les illuminations* de RIMBAUD, *Les cinq grandes odes* de CLAUDEL, *Les fêtes galantes* et *Les romances sans paroles* de VERLAINE (Paris, C. Klincksieck).

Index du vocabulaire de la tragédie classique : CORNEILLE : *Le Cid, Cinna, Horace, Polyeucte, Nicomède* ; RACINE : *Phèdre* (Paris, Klincksieck).

Les caractères statistiques du vocabulaire, P.U.F., Paris, 1953.

Bibliographie de la statistique linguistique, Spectrum, Utrecht, 1954.

Problèmes et méthodes de la statistique linguistique, Reidel-P.U.F., Dordrecht-Paris, 1960.

Zanjs Wersyfikacji francuskiej, Warszawa, 1961.

Histoire de la poésie et du vers français (à paraître).

« QUE SAIS-JE ? »
LE POINT DES CONNAISSANCES ACTUELLES
N° 984

LA SYNTAXE DU FRANÇAIS

par

Pierre GUIRAUD

Professeur à l'Université de Groningen

PRESSES UNIVERSITAIRES DE FRANCE
108, BOULEVARD SAINT-GERMAIN, PARIS
—
1962

DÉPOT LÉGAL
1re édition .. .. .. 2e trimestre 1962

TOUS DROITS
de traduction, de reproduction et d'adaptation
réservés pour tous pays

© 1962, *Presses Universitaires de France*

INTRODUCTION

La syntaxe est l'étude des relations entre les formes qui constituent le discours ; mais, à peine cette définition posée, voici que le récent et monumental *Eléments de syntaxe structurale* de Lucien Tesnières (700 pages grand format) m'affirme que « l'étude de la forme *extérieure* de la phrase est l'objet de la morphologie. L'étude de sa forme *intérieure* (lisez la forme des idées signifiées) est l'objet de la syntaxe ».

C'est là — parmi cent autres — un de ces conflits de définition, aggravés encore par l'incertitude et l'ambiguïté de la terminologie, qui divisent les grammairiens sans qu'ils puissent les résoudre, et qui montrent assez que notre science, comme la métaphysique ou la morale, est une discipline sans vérifications ni sanctions.

Aussi ne doit-on pas s'étonner qu'il n'y ait pas une syntaxe, mais des syntaxes ; et ce livre ne saurait être autre chose que quelques considérations sur la syntaxe du français.

Encore fallait-il une certaine innocence pour tenter d'étrangler en quelques pages un sujet aussi vaste, aussi ardu et aussi controversé. Cette pétition de principe, qui est celle de tout auteur de notre collection, est ici particulièrement pressante, car si la plupart des sujets finissent par s'accommoder d'une certaine schématisation, il en va tout autrement de la grammaire, et pour des raisons qui tiennent à sa nature.

Elle a pour objet, en effet, la classification des faits de langue, c'est-à-dire de signes qui présentent par définition la double face d'une forme signifiante et d'une pensée signifiée.

Il est toujours possible de dresser quelque inventaire des formes d'une part, des valeurs de l'autre, et d'en dégager les catégories et les structures. Plusieurs principes de classements s'offrent chaque fois, qui sont légitimes et présentent quelque valeur critique — compte tenu de leur terminologie que nous supposerons cohérente, connue et acceptée, ce qui est loin, d'ailleurs, d'être toujours le cas.

Mais une grammaire des formes ou une grammaire des idées sont nécessairement incomplètes, puisque le signe est l'association d'une forme et d'une idée. Or il n'y a aucune correspondance parfaite et totale entre un système de formes et un système de valeurs ; les innombrables grammaires, la diversité des approches et des théories, les absolus, les compromis, ne sont qu'un effort pour résoudre ce dilemme fondamental.

Fallait-il donner, ici, un inventaire des règles de la syntaxe d'usage ? Un recueil des emplois assorti d'exemples ? Une étude de l'évolution historique ? Une syntaxe de la langue écrite et de la langue parlée ? Un traité de style ?, etc.

Et devait-on, dans chaque cas, présenter les faits selon l'optique, les critères, les définitions, les intentions, les postulats — toujours divers, souvent contradictoires — des principales écoles ?

Mais il nous faut parcourir la syntaxe du français en cent pages, comme ces voyageurs « font » l'Egypte en trois jours, avec une matinée pour la Vallée des Rois, huit minutes pour les Colosses de Thèbes, et une carte postale pour l'Allée des Sphynx.

Aussi suis-je parti du principe que le lecteur

n'attendait pas un manuel et je me suis limité à dégager les caractères qui font l'originalité et la difficulté de notre langue.

D'autre part, il m'a semblé indispensable de donner une idée de la façon dont ces problèmes sont aujourd'hui abordés, en présentant quelques échantillons des principales hypothèses et des divers méthodes et points de vue : formes et significations, sens et valeurs, systèmes et structure, style et fonctions, etc. ; il fallait montrer comment ces notions éclairent et reposent des problèmes que la plupart d'entre nous ont résolus sur les bancs de l'école.

J'ai essayé de présenter les différents points de vue, mais je ne pouvais — sans me trahir — manquer de mettre l'accent sur les thèses structuralistes. J'ai puisé la plupart des illustrations dans mes propres notes (1), tout en mêlant mes réflexions à celles de quelques grammairiens français, qui, sans prétendre faire école, ni même être toujours d'accord, forment une même famille de pensée, nourrie à l'enseignement de Saussure ou à celui de Guillaume.

Aussi cet ouvrage pourrait-il finalement s'intituler : « Considérations sur les caractères et tendances de la syntaxe du français, à la lumière des hypothèses et observations de quelques grammairiens contemporains, et plus particulièrement de ceux qui se réclament, plus ou moins explicitement et à des titres plus ou moins divers, de la linguistique structurale. »

---

(1) Je me permets de mentionner ce point, car j'ai mis une notable partie de mes recherches et de ma pensée linguistique dans une série de petits livres (celui-ci est le sixième), dits de vulgarisation, mais qui constituent, en l'occurrence, des observations, des réflexions ou des conclusions en majeure partie inédites. J'ai, dans le cas contraire, toujours mentionné mes sources à moins qu'il ne s'agisse de faits connus et entrés dans le domaine commun.

Mais ce ne sont là que quelques vues qui prennent l'espace grammatical en travelling en s'efforçant de modifier l'éclairage, le champ ou l'angle de vision. Le montage donnera peut-être l'impression d'un manque d'unité, d'une certaine incohérence ; il m'a donné cependant beaucoup de mal et m'a souvent réveillé la nuit à la recherche d'un morphème gluant parmi les conjonctions tordues et les prépositions rouillées dans le tiroir aux mots-outils.

Que le lecteur se dise, en tout cas, que les omissions, les simplifications, les ellipses, les télescopages, les chemins de traverses, les vues plongeantes, ne sont qu'un effort pour le faire pénétrer dans ce maquis.

Une des plus grandes difficultés m'a été opposée par les limites mêmes du sujet. Fallait-il éliminer la morphologie ? J'ai déjà dit dans ma *Grammaire* combien incertaines étaient les limites entre syntaxe et morphologie, combien discutées.

On sait que la morphologie traditionnelle est un inventaire des formes du « mot », la syntaxe étant la combinaison de ses formes, et les valeurs qui en découlent.

Mais rien n'est plus ambigu que la définition du « mot », et, quelle qu'elle soit, le « mot » reste une combinaison de signes et la morphologie n'est qu'une syntaxe du mot. Syntaxe d'un type particulier, il est vrai, et, dans une certaine mesure, distincte de la syntaxe de la phrase ; peut-on les séparer ? Je ne le pense pas, et je ne l'ai pas fait.

Mais il n'était pas question de donner ici un tableau complet des paradigmes ; ou un recensement et une histoire des pluriels irréguliers ou des verbes anomaux — ce qui reste du domaine de la morphologie traditionnelle.

De même on renvoie le lecteur aux grammaires,

et en particulier au *Bon Usage* de M. Grevisse, pour un inventaire détaillé des emplois et de leurs valeurs ; qu'on ne s'étonne pas si on reconnaît, chemin faisant, des exemples, voire des définitions empruntées à cet ouvrage irremplaçable, et en trop grand nombre pour que je puisse, chaque fois, le citer.

Enfin le lecteur pourra être surpris de voir remises en cause les notions les plus intangibles ; il apprendra que les mots n'ont pas de sens, que le conditionnel est un temps de l'indicatif, que notre syntaxe ignore l'accord, que le français ne vient pas du latin, etc. Je le prie de ne point voir là des paradoxes, non plus que le propos de réformer le cadre traditionnel de la grammaire. Mais les plus évidentes vérités, et les plus anciennes, nous cachent toujours quelque aspect des choses qu'il est bon d'aborder, de temps en temps, avec des yeux naïfs, comme on déplace un meuble ou un tableau pour s'apercevoir qu'on ne l'avait jamais bien vu jusqu'ici. On finit d'ailleurs par le remettre à sa place la plupart du temps.

C'est dire que je n'entends pas défendre ici une thèse qui prétende à quelque supériorité terminologique ou épistémologique sur telle autre qu'on pourra facilement lui opposer ; mais j'aimerais inciter ce laïc et honnête homme, mon lecteur, à repenser des problèmes qu'une longue pratique et une tradition invétérée pourraient lui faire croire résolus.

Chapitre Premier

DÉFINITIONS :
BASES D'UNE SYNTAXE STRUCTURALE

I. — La terminologie traditionnelle

La syntaxe est l'étude des relations entre les *mots* dans le discours.

Mais cette définition traditionnelle, qui oppose la *morphologie*, ou étude de la forme des mots, à la *syntaxe*, étude de la forme des syntagmes ou des combinaisons de mots, nous plonge dès l'abord en pleine incertitude ; car, qu'est-ce qu'un mot ? et où passe la limite formelle entre le mot et le syntagme ?

La tradition grammaticale veut que le mot soit un segment indécomposable : *les enfants ont fini leurs devoirs*, constitue donc six mots, dans la mesure où on peut séparer *les* de *enfants (les* grands *enfants) ; leurs* de *devoirs (leurs* longs *devoirs)* ; il est vrai que la doctrine vacille devant *ont fini*, qui peut être scindé en *ont* enfin *fini*, mais que le sentiment sémantique, qu'on retrouve toujours derrière l'analyse traditionnelle, hésite à distinguer de *finiront* qui, lui, est bien indivis.

Donc notre phrase contient cinq mots qui constituent chacun une partie du discours ; celles-ci sont au nombre de huit : le nom, l'adjectif, l'article, le pronom et le verbe qui sont variables dans leurs désinences ; l'adverbe, la préposition, la conjonction qui sont invariables.

Les désinences, fusionnées dans les cinq premières catégories, constituent des morphèmes, qui servent à marquer certaines modalités du mot (les temps du verbe par exemple, ou le genre de l'adjectif, etc.).

L'analyse sémantique, par ailleurs, tend à distinguer deux catégories de mots selon qu'ils apparaissent comme porteur d'un sens plein, bien spécifié *(un chien, chanter, noir, demain)* ou, au contraire, un sens très général qui s'apparente plus ou moins à celui des morphèmes, d'où la notion de mots grammaticaux ou mots-outils.

Il y a donc un lexique d'une part qui groupe les formes pleines et sémantisées, d'autre part une grammaire qui étudie les combinaisons de ces formes pleines avec des désinences (morphologie) et les combinaisons de ces mots ainsi marquées, entre eux et au moyen des mots-outils (syntaxe).

Cette classification et cette terminologie transposent dans notre langue une définition du « mot » étrangère et dépourvue des bases formelles qui la spécifient en latin dont nous l'avons héritée.

En effet, le mot latin est à la fois un segment indivis et un radical pourvu de toutes les marques flexionnelles qui lui confèrent ses modalités et sa pleine autonomie ; le segment indivis du français, au contraire, est tantôt un mot partiellement marqué *(chiens, partirons)*, tantôt une forme adjointe à un radical pour en préciser quelque modalité (la personne du verbe, l'article du nom, etc.).

Le mot-outil est donc un morphème, étroitement associé au radical, sans qu'il y ait toutefois fusion complète, et qui peut en être disjoint dans certaines limites, d'ailleurs étroites ; autrement dit, il n'y a pas en français — comme en latin — identité complète entre le segment indivis et la racine autonome. Or, c'est comme unité autonome qu'on doit prendre le mot, alors que son indivision n'est qu'un caractère particulier à la grammaire latine. On

verra comment cette autonomie peut être définie ;
disons pour l'instant que le mot français est un
syntagme (ou combinaison de signes) qui groupe
autour d'un radical des morphèmes fusionnés et
des mots-outils ; et ce sont ces signes : radicaux,
morphèmes, mots-outils (si mots-outils il y a),
qui constituent les éléments du discours.

Par ailleurs cette définition du mot et des parties
du discours nous amène à considérer sous un autre
angle l'opposition traditionnelle entre lexique et
grammaire.

Mais avant d'aborder ces problèmes il nous faut
dissiper un malentendu général en rappelant la distinction essentielle entre *sens* et *effets de sens*
(cf. ma *Grammaire*, p. 71).

Soit l'expression : *le chapeau de ma tante, la plume
de mon oncle* ; la grammaire nous enseigne que *de*
est ici une préposition qui exprime l'appartenance ;
elle peut aussi exprimer la matière, l'espèce, la
valeur, etc., dans : *un chapeau de gendarme, de paille,
de prix*, etc.

Mais ces diverses spécifications dépendent, en
réalité, de la valeur lexicale des termes associés ; la
fonction de *de* n'est autre, ici, que d'exprimer que le
second substantif est un déterminant du premier ;
quant à la nature de cette détermination, elle s'actualise par le contact des deux substantifs : entre la
paille et le *chapeau* il ne peut y avoir qu'un rapport
de matière à objet.

On ne doit jamais confondre *le sens* (ici rapport
de détermination) et *l'effet de sens* dans le discours,
effet de sens qui dépend à la fois du type de relation et des valeurs lexicales des termes en relation.

Le sens est la résultante des rapports (marqués
par la syntaxe) entre les valeurs lexicales de l'ensemble des signes qui composent l'énoncé ; sens qui

n'est pas la somme de ces valeurs mais leur combinaison chaque fois originale.

C'est pourquoi le grammairien est victime d'une illusion chaque fois qu'il invoque un exemple. Grammaticalement il n'y a que des relations entre catégories abstraites (substantif + préposition + substantif) et toute lexicalisation de ce syntagme dans le discours *(un chapeau de gendarme)* y précipite nécessairement des valeurs qui lui sont étrangères.

C'est un des plus singuliers paradoxes de l'analyse grammaticale, qu'on ne saurait efficacement la poursuivre sans l'illustrer d'exemples concrets, et que ces exemples masquent les phénomènes qu'ils prétendent éclairer.

En invoquant un exemple pour justifier une construction, le grammairien justifie l'exemple, c'est-à-dire une structure syntaxique noyée dans la substance sémantique qu'elle actualise.

Il introduit donc nécessairement dans ses explications des faits étrangers à la grammaire.

Il ne nous sera guère possible d'échapper à cette servitude au cours des pages qui suivent, au moins était-il indispensable de bien en reconnaître les pièges et les illusions.

II. — Les catégories syntaxiques ou parties élémentaires du discours

Les parties élémentaires du discours sont les signes qui constituent la chaîne parlée, et ces signes peuvent être classés en catégories.

Il y a des catégories notionnelles comme plantes, animaux, qualités, actions, etc., qui sont des catégories de la pensée, et peuvent avoir certains rapports avec les parties du discours, mais ces dernières sont des catégories formelles, car le discours est une forme, une suite de signes.

Ces signes sont classés d'après leurs relations dans l'énoncé où toutes les formes permutables constituent une catégorie. Ainsi *chien noir, chat noir, soleil noir, courage noir*, etc., identifient *chien, chat, soleil, courage* comme une catégorie ; et de même tous les signes que des neutralisations lexicales peuvent interdire d'associer avec *noir* (*lait noir, neige noire*, etc.) mais qui sont bien permutables avec *chien, chat* ou *soleil* dans d'autres contextes.

Ainsi tous les signes qui entrent dans une même relation avec d'autres signes forment une catégorie et par conséquent une catégorie syntaxique (puisque syntaxe signifie relation). A l'intérieur d'une même catégorie tous les signes ont la propriété de pouvoir permuter, c'est-à-dire de s'opposer (chien *noir*, chien *blanc*).

Réciproquement les diverses catégories sont entre elles dans un rapport qui leur interdit toute permutation relationnelle, puisque ce sont précisément ces relations qui définissent chaque catégorie.

Selon cette définition on voit qu'un morphème comme *-ions* dans nous *chantions* constitue un élément du discours, et que l'article, et l'adjectif démonstratif, possessif, etc., ne forment qu'une seule partie élémentaire du discours, puisqu'ils sont tous permutables entre eux, et qu'on peut dire *le livre, ce livre, mon livre*, etc.

De ce point de vue, les parties élémentaires du discours, syntaxiquement distinctes dans la chaîne parlée, et que certains désignent sous le nom de *monèmes*, sont en français les suivantes :
— les racines ou *lexèmes*, formants de « substantif », d' « adjectif », de « verbe », d' « adverbe » *(chat-, verd-, chant-, hier)*. Formants qui peuvent être modifiés par l'adjonction d'affixes ou *morphènes de lexicalisation (ad-, in-, able-, -eur)* ;

— les pronoms ;
— les *morphèmes de modalité* (désinences et quelquefois mots-outils) qui comprennent :
  a) les déterminants semi-autonomes du substantif (le, ce, mon, etc.) ;
  b) le nombre et le genre nominaux ;
  c) la personne verbale et pronominale ;
  d) le temps verbal ;
  e) le mode verbal ;
  f) le nombre verbal ;
— les *morphèmes de relation* :
  a) la préposition ;
  b) la conjonction.

Chacune de ces catégories forme un répertoire constitué par un certain nombre de signes. Les unes sont très nombreuses (radicaux de substantifs, adjectifs, verbes, adverbes) ; les autres plus réduites : le nombre de prépositions monte à une cinquantaine et il n'y a que deux genres ou trois temps.

Par ailleurs les catégories nombreuses sont ouvertes et non limitées : on ne cesse de former de nouveaux substantifs ou adjectifs ; alors que la catégorie de la personne et celle du temps sont closes. Certes elles peuvent évoluer : le français a perdu le neutre et a créé un article ; mais il s'agit de procès lents au terme d'une longue évolution.

Or les catégories fermées (et limitées) se combinent avec les catégories ouvertes (et non limitées) pour former des mots, à chaque combinaison correspond un type de mot. Le substantif est un syntagme qui combine un radical (répertoire ouvert) à des morphèmes (répertoire fermé) déterminés. Le mot constitue un premier niveau de relations ; il est défini par le fait que ces relations primaires sont nécessaires, de sorte que le radical verbal ne peut entrer dans le discours s'il n'est pas combiné aux signes (morphèmes) de la personne, du temps, du mode ; et ces signes réciproquement ne peuvent être exprimés en dehors de leur association à un radical verbal.

Ainsi le mot est une combinaison syntagmatique qui unit dans un rapport étroit et nécessaire un radical et un certain nombre de marques minimum qui constituent l'indice de cette catégorie en tant que mot.

Selon cette définition le pronom, dans *je chante*, entre bien dans le mot — bien que segment séparable en français où on peut dire *je le lui chante*, mais le radical *chant-* ne peut être introduit dans le discours en fonction de verbe s'il n'est pas marqué du pronom personnel. D'autre part les marques de la catégorie nominale font du mot un substantif dans : *le chant* ; on voit donc que *chant* n'est pas un verbe mais un radical (répertoire non limité) à vocation verbale ; c'est-à-dire qui entre plus particulièrement en combinaison avec les marques de la personne et du temps, marques génératrices de la catégorie du « verbe ».

Il y a ainsi une catégorie du substantif, catégorie la plus nombreuse et la plus richement marquée ; ensuite le verbe, puis l'adjectif qualificatif ; enfin l'adverbe catégorie très faiblement marquée.

La préposition et la conjonction sont d'anciens adverbes qui ont perdu toute autonomie et toute espèce de marque et jouent le rôle de morphèmes de liaison.

Chacune des catégories marquées associe donc un radical à un certain nombre de morphèmes d'actualisation minimum qui confèrent au signe ce que j'ai moi-même appelé ses *modalités*.

Les mots, ainsi marqués, constituent des syntagmes primaires qui vont, à leur tour, se combiner entre eux pour former un deuxième niveau de relations où les diverses catégories forment des syntagmes ou relations syntaxiques au sens traditionnel. Le syntagme est un mot élargi, comme le mot est un syntagme étroit.

Mais les relations syntagmiques primaires (au niveau du mot) sont nécessaires, alors qu'il n'est pas indispensable de spécifier le sujet en dehors du morphème pronominal, ou le temps en dehors du morphème temporel ou la détermination en dehors de l'article. *Il chante* constitue un mot et un énoncé minimum, mais on peut dire *l'oiseau chante, il chante toujours, l'oiseau noir chante toujours*, etc. Il y a donc spécification et extension, à l'extérieur du mot, de ses modalités internes.

D'autre part ces spécifications, non nécessairement exprimées, ne sont pas toutes possibles au sein de catégories syntagmiques semblables : tous les adjectifs ne sont pas combinables avec tous les substantifs, il s'opère au sein de chaque syntagme des neutralisations lexicales qui réduisent une partie des oppositions et empêchent la permutation de *chat* et de *chien* dans le *chien aboie*. Les modalités du mot, en revanche, forment un système dans lequel chacune est opposable à toutes les autres : toutes les racines verbales peuvent prendre toutes les modalités du temps et inversement.

Ces rapports entre les termes du syntagme constituent des *relations* ; et de même qu'il y a des modalités qui définissent des catégories de mots, il y a des relations qui définissent des catégories de syntagmes ; il y a donc une syntaxe du mot (premier niveau syntaxique) et une syntaxe des relations entre les mots, syntaxe au sens traditionnel ou second niveau syntaxique.

III. — Sens et valeurs

On a dès la première ligne soigneusement distingué le sens du signe et l'effet de sens de l'énoncé.

Le sens est la représentation évoquée par le signe. Chaque signe a un sens double ; un sens générique qu'il tire de la catégorie syntaxique à laquelle il appartient : une racine verbale désigne une action ; un morphème temporel désigne le temps ; et à l'intérieur de ces catégories le signe a un sens spécifique ; *nous chanterons* désigne une certaine espèce d'action et une certaine espèce de temps.

Or la valeur spécifique de *chant-* est beaucoup plus grande que celle de *-erons*. Cela tient au fait très simple que la catégorie des radicaux verbaux comporte un grand nombre de spécifications, alors que celle du temps n'en présente que trois (présent, passé, futur). Cela seul suffit à distinguer signes lexicaux et signes grammaticaux ; mais il faut bien insister que la différence est de degré et non pas de nature comme le veulent les grammaires ; chaque signe est porteur d'une double valeur, lexicale et syntaxique. Il n'y a que des signes dans lesquelles la valeur spécifique est plus ou moins forte. Ce qu'on pourrait représenter ainsi :

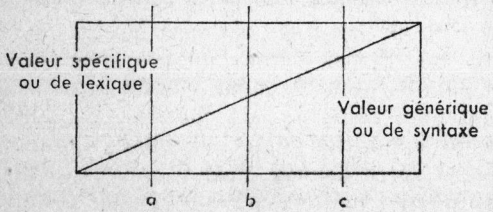

où *a*, *b*, *c* représentent respectivement des signes à forte valeur spécifique *(chien)*, à moyenne valeur spécifique *(dans, sur)*, à faible valeur spécifique *(de, -s* du pluriel).

Le sens est ainsi défini par les valeurs du signe ; et le structuralisme appelle valeur la possibilité qu'a le signe de s'opposer à d'autres signes au sein de sa catégorie ; autant d'oppositions possibles, autant de valeurs, et en conséquence d'autant plus de précision, de sens. On comprend que les catégories nombreuses et ouvertes sont composées de signes à sens plein, alors que les catégories limitées n'ont que des signes à sens très large, des signes plus ou moins vides de sens.

Mais reprenons l'exemple du *chapeau de gendarme*, dans lequel nous n'avons reconnu aucun sens spécifique à la préposition *de* ; c'est que dans cette combinaison elle n'est opposable à aucune autre préposition ; elle n'a pas de valeur, donc pas de sens.

En revanche dans *une tasse de café*, *de* marque le rapport de détermination d'une valeur spécifique qui dérive de la possibilité de l'opposer à *une tasse à café*. Cette absence de valeur spécifique dans le premier exemple, cette valeur spécifique dans le second, sont ici des valeurs discursives — attachées à des exemples précis et à des syntagmes actualisés dans un énoncé.

Beaucoup de linguistes estiment que c'est seulement dans le discours que le signe peut assumer des valeurs et un sens ; *in abstracto* le signe n'aurait pas de sens ; le *sens* n'étant que le système des relations qui orientent le signe sur les autres signes. Cependant il reste bien attaché à *de* le souvenir de toutes les oppositions dans lesquelles j'ai pu le faire entrer ; et, virtuellement, dans la conscience linguistique du sujet parlant *de* reste bien lié à une idée d'origine qu'il tire des nombreux syntagmes où il s'oppose à la préposition *à*, valeur qui constitue son sens.

Saussure, tout en définissant la valeur comme une opposition négative, reconnaît au signe un sens qu'il conçoit positivement comme la trace mémorielle d'un concept. On peut, c'est certain, on doit même, mettre en question ces notions désuètes et qui correspondent à une psychologie de la mémoire, aujourd'hui dépassée ; mais le structuralisme orthodoxe va sans doute beaucoup trop loin en déniant au signe tout substrat mental positif, pour n'y voir que pures valeurs de relations.

Pour ma part, il me semble indispensable de conserver la double définition saussurienne du signe qui est identifié négativement mais reconnu positivement ; de même que, dans le décryptage d'une langue inconnue, les formes n'ont que des relations dans le message, mais ces relations, une fois reconnues, leur confèrent un contenu de sens.

Ou, pour prendre un autre exemple, le policier qui identifie une fiche anthropométrique opère négativement par sélection, alors que celui qui connaît le suspect l'identifie positivement. De même on peut concevoir un sens du signe comme l'actualisation des valeurs communes à tous ses emplois, c'est-à-dire à toutes les paroles où il est précédemment entré et dont les locuteurs gardent le souvenir. Et c'est précisément ce sens qui détermine ses limites d'emploi ultérieures et les effets de sens qui seront ainsi actualisés.

J'aimerais illustrer cette importante discussion d'un passage du *Cours de Philologie* de M. R. L. Wagner (p. 45) dont je m'écarte sur ce point. « Soit la conjonction *quand* (dit l'auteur). On lui reconnaît en ancien et en moyen français une valeur temporelle, une valeur causale, une valeur adversative. Exemple :

Quant veit li pedre que mais n'avrat enfant
Donc se porpenset del siecle ad en avant

(Alexis, 36.)

Mont sui liez, quant trové l'ai
(Erec, 4725.)

Quant, j'aurois devant moi toute nue une femme
Encores sa beauté ne sçauroit me tenter
(Ronsard.)

Et M. Wagner conclut :

« Ces trois valeurs naissent à la fois du contexte, c'est-à-dire des mots de lexique, et d'une opposition (ou d'une concordance) entre les formes du verbe de la proposition principale et du verbe de la proposition subordonnée. Ce n'est pas *parce que* « quand » a ces valeurs qu'il se construit de telle ou telle manière ; les valeurs dépendent des types de constructions. »

On reconnaît la thèse exposée plus haut, mais ici sous sa forme la plus radicale, déniant toute valeur propre au signe en lui-même, pour ne voir la source du sens que dans la structure des relations. Pour ma part, j'estime que *quand* a une valeur lexicale d'où dérivent les différents effets de sens ici en cause : c'est *parce que* « quand » exprime la contemporanéité qu'il peut se construire de telles manières et conférer chaque fois au syntagme ses effets particuliers.

Dans le premier exemple : *quant veit li pedre... se porpenset*, quand unit deux temps présents et actuels, d'où ressort une idée de pure temporalité. Dans le second exemple : *moult sui lies quant trové l'ai*, *quand* relie à un état actuel présent une action passée dont le résultat continue à se manifester ; d'où l'idée de causalité. Dans le troisième exemple : *quant j'aurois... sa beauté ne sçauroit*, un temps éventuel est subordonné à une action négative dans cette éventualité ; d'où une valeur adversative (*au moment où* ce temps arrivera — si jamais il arrive — je ne serai pas tenté).

Dans chacune de ces trois constructions *quand* introduit bien une même valeur de contemporanéité, mais ceci entre des actions dont le temps, le mode, l'aspect sont différents. Les valeurs temporelle, causale, adversative s'attachent donc bien au syntagme et à *quand*, et la conjonction est bien associée à une idée commune à tous ses emplois antérieurs et qu'elle introduit dans le syntagme où elle se combine avec les valeurs des autres signes pour actualiser un effet de sens.

A la valeur de structure, c'est-à-dire d'opposition, correspond donc bien un contenu sémantique ; l'un et l'autre ne sont que les deux faces complémentaires d'une même définition, le signe étant défini par ce qu'il est (contenu sémantique) et par ce qu'il n'est pas (valeurs structurales).

Le lecteur m'excusera d'insister sur ce point qui nous écarte de la syntaxe du français proprement dite — mais il illustre un débat fondamental et très actuel qui s'institue au sein de la grammaire structurale. Et je tiens à souligner que la position mentaliste adoptée ici n'exclut en rien, — tout au contraire — un formalisme qui conçoit la possibilité de définir et d'identifier le signe par l'ensemble de ses relations au sein du système lexical, à l'exclusion de toute référence à son contenu sémantique.

IV. — Degrés de spécification

Ainsi tout signe a un sens défini par les valeurs de structure qui conditionnent et orientent ses emplois ; et dans le discours — où ce sens entre en combinaison avec les sens des autres signes —, une partie des valeurs de structure propres à chacun se trouve neutralisée ; d'où résulte pour chaque signe un nouveau champ de valeurs (de possibilités d'oppositions), propres à la situation discursive et d'où découle l'effet de sens.

C'est ainsi que la préposition *sur* produit l'effet d'un sens beaucoup plus plein que celui de *de*, parce que *sur* s'oppose à : *sous, devant, derrière, à côté*, etc., alors que *de* ne permute guère qu'avec le seul *à* d'où une seule valeur quand *sur* en a une douzaine.

De, par ailleurs, présente un autre caractère : en tant que préposition, sa fonction syntaxique est de marquer une relation entre un substantif déterminant et un substantif ou un verbe déterminé ; lexicalement il spécifie cette relation en l'actualisant comme un mouvement qui va du déterminant au déterminé : *la cane de Jeanne* établit la relation comme allant de *Jeanne* à la *cane* ; mais on peut concevoir le mouvement inverse, l'ancienne langue le faisait et le français populaire continue à dire : *la cane à Jeanne*. En réalité cette opposition entre un mouvement de destination ou d'origine ne s'actualise pas, le sujet parlant ne la matérialise pas ; il ne retient que l'idée d'un mouvement entre *Jeanne* et la *cane* sans y faire entrer l'élément spécifique que constitue la direction ; l'idée d'une translation, commune à *de* et *à*, suffit à actualiser le rapport qui n'est ni temporel ni local, ni consécutif, ni final, etc. ; *à* et *de* sont ici pratiquement dépourvus de valeur lexicale et l'effet de sens ne repose plus que sur leur fonction syntaxique (ils relient sans spécifier comment) ; ils constituent donc de purs génériques, à contenu lexical nul ou, en tout cas, très faible. L'idée de direction constitue la rection minimum.

Chaque catégorie syntaxique a ainsi un signe, ou des signes, dont la valeur spécifique est voisine de la valeur générique et dont le sens, très large, tend à recouvrir la fonction syntaxique et à se confondre avec elle, si bien que le signe apparaît comme *vide* de sens.

Telle est la base de la distinction traditionnelle entre lexèmes (formes lexicales) et morphèmes (désinences et mots-outils), entre lexique et grammaire. Mais, répétons-le, tout signe a les deux valeurs. Toutefois, la valeur lexicale d'une part est faible dans les catégories étroites à répertoire limité, d'autre part, dans les catégories ouvertes, un certain nombre de signes tendent à confondre leur sens et leur fonction syntaxique ; leurs valeurs lexicales tendent alors plus ou moins vers zéro — un zéro qu'elles n'atteignent jamais d'ailleurs sans que le signe disparaisse du système.

On trouve ces signes génériques dans toutes les catégories où ils constituent un degré minimum de la spécification. Ainsi *et, que, de, le, on, être* sont des degrés minimum de la coordination, de la subordination, de la rection, de la détermination, de l'indéfinition, de l'état, etc.

Dans l'opposition : *la poire devient, paraît, semble, est mûre* le verbe a, comme signe, une double valeur : syntaxiquement il relie le substantif à l'attribut nominal qui exprime l'état ; lexicalement il spécifie la nature de cette relation ; or le verbe *être* est ici un pur ligament à contenu lexical nul.

De même *faire* exprime l'action verbale en dehors de toute spécification, sinon qu'il indique un acte alors que *être* exprime un état ; *il fait le tour = il tourne* ; *il fait chaud = ça chauffe*. *Fait* est ainsi un morphème qui permet de conférer à un radical nominal les modalités du verbe (personne, temps, mode).

Faire est du verbe actif pur, *être*, du verbe d'état pur. Les emplois de *être*, de *faire* ont pris une extension maximum dans des tours où l'action n'est plus spécifiée ni par le verbe, ni par ses relations dans l'énoncé, mais par la situation externe dans laquelle est impliqué le discours ; ainsi un touriste, un guide *fait l'Italie*, fait une action relative à l'Italie, action spécifiée par sa qualité de touriste ou de guide ; c'est-à-dire visite ou fait visiter l'Italie. De même un commerçant *fait les vins*, *est dans la chaussure*, etc.

Des génériques comme : *chose*, *homme*, *un être*, *petit*, etc., tendent à se grammaticaliser à mesure que se décante leur valeur lexicale. Ceci est net dans les langues germaniques ; l'anglais *man* par exemple joue le rôle d'un morphème dans *postman*, *milkman* (postier, laitier) ; le français dit *homme de lettres*, *homme de peine* ; et *petit* dans *un petit coup de blanc*, *nos petits soldats* a la fonction d'un affixe à valeur hypocoristique.

Mais pour revenir à la syntaxe, je crois qu'on pourrait admettre que certains emplois, mal compris, constituent des degrés génériques (cf. les valeurs virtuelles de l'article ou du présent de l'indicatif, *infra* p. 35).

Il existe, par ailleurs, un degré zéro de la marque (absence d'article par exemple) qui montre bien que cette dernière n'est pas « porteuse » du sens, mais qu'elle tire ce sens d'une opposition à l'intérieur d'une structure.

C'est pour la même raison qu'une même forme peut avoir plusieurs fonctions : *le*, par exemple, exprime le genre, le nombre, la détermination dans la mesure où il s'oppose à *la*, à *les*, à *un*, *ce*, *mon*, etc. C'est que l'article est engagé dans les trois systèmes, du genre, du nombre, de la détermination et tire de chacun des valeurs ; il y a dans *le* un cumul des trois fonctions. Le cumul et surtout le décumul de certaines marques ont joué un grand rôle dans l'évolution du système grammatical français.

V. — Catégories sémantiques

La syntaxe — telle au moins que nous l'avons conçue et définie — a pour objet l'étude des catégories formelles, des types de relations entre les formes élémentaires du discours. Le structuralisme insiste, non sans raison, sur ce point et dénonce vigoureusement le mentalisme des grammaires traditionnelles qui, prisonnières de l'analyse du sens, confondent sans cesse l'effet et la cause.

Mais on a vu que nous professons nous-même une certaine forme de mentalisme ; d'autre part l'objet de ce livre n'est pas de donner une description structurale du système grammatical français, qui ne serait possible que dans une perspective synchronique ; c'est-à-dire basée sur une étude de la langue à une période déterminée — le français actuel par exemple. Notre propos est au contraire de dégager les grandes tendances de la langue et les lois de son évolution.

Pour toutes ces raisons je voudrais préciser ici quelques définitions purement sémantiques pour montrer que malgré l'arbitraire du signe linguistique — dont je n'ai cessé au cours de mes ouvrages de montrer la nature et d'affirmer l'importance —, les principales catégories syntaxiques correspondent à des catégories de sens qu'elles expriment et sur lesquelles elles s'appuient.

Il est bon de dire parfois qu'il n'y a pas plus de substantifs dans les dictionnaires que de chevaux de course sous le capot d'une automobile ; mais, après tout, entre la catégorie formelle du substantif et les substances qui nous entourent, il y a bien quelque part un certain rapport.

De même si l'opposition entre signe lexicalisé à valeur spécifique et signe grammaticalisé à valeur générique a pu s'installer au sein de la grammaire, c'est qu'elle reflète nos taxologies.

Toute création linguistique, qu'elle soit lexicale ou syntaxique, a toujours sa source dans le besoin d'exprimer quelque nouvelle valeur ; et toute spécification, en retour, est destinée à s'alléger de son sens pour s'insérer dans quelque structure. Et ce double mouvement qui règle la formation et l'évolution d'un système ne peut prendre sa source que dans la réalité.

Certes il faut voir que la grammaire a pour but de catégoriser non le réel mais les formes du discours ; et que, d'autre part, elle est entraînée par son évolution propre qui finit par détacher ses catégories des catégories sémantiques d'où elles sont nées. Ainsi le genre des noms n'a plus en français aucun substrat sémantique ; de même il serait absolument illogique de vouloir attribuer à la qualité le genre et le nombre dont l'adjectif est grammaticalement pourvu.

Mais il n'en reste pas moins qu'il y a un rapport étroit entre notre façon de concevoir le nombre, le temps, le lieu, et la forme que l'expression de ces notions a pris dans le discours.

De même il est un certain nombre de distinctions logiques qui ne sont pas grammaticalisées, ou qui ne le sont plus, ou qui le sont mal, mais qui ont joué un grand rôle dans la structuration du système syntaxique.

L'une d'elles est l'opposition actuel-virtuel : les morphèmes de modalités sont des marques d'actualisation du signe, et qui actualisent en même temps la notion exprimée ; or les choses peuvent être pensées dans leur généralité, dans leur essence et non dans leur existence ; on dit *le chien est un mammifère*, ce qui signifie l'espèce chien, non pas un chien réel et

actuel, mais l'idée de chien hors de l'espace et du
temps. On voit que le français moderne ne possède
qu'une seule forme pour exprimer ces deux aspects.
Or son système grammatical lui a offert autrefois
la possibilité de les distinguer formellement. La
déchéance de cette opposition, qui a laissé de nombreuses traces dans la syntaxe moderne, est une
des clés de notre système grammatical et de son
histoire.

Une autre est dans la distinction entre détermination intrinsèque et la détermination extrinsèque.
Lorsque nous parlons d'un *cheval noir*, la qualité
nous apparaît comme un attribut propre à l'être
dont elle ne saurait être dissociée ; dans *le cheval de
fiacre*, en revanche, on distingue *un fiacre* et *un
cheval* ; la détermination est ici extérieure à l'animal
ainsi déterminé, c'est un attribut extrinsèque.

On comprend que la marque d'un rapport intrinsèque soit dans un rapport formel étroit avec le
signe déterminé ; ils tendent à se rapprocher, à se
juxtaposer, à fusionner. Aussi n'est-il pas étonnant
que les relations intrinsèques soient marquées par
l'accord, alors que les relations extrinsèques reposent sur la rection. Certes, il n'y a là que des tendances, constamment troublées par des accidents
historiques, mais qui dynamisent sourdement l'évolution et permettent de la comprendre.

Spécifique-générique, actuel-virtuel, extrinsèque-
intrinsèque sont des concepts étroitement liés et
qu'on aura l'occasion d'évoquer, chemin faisant,
au cours de cette étude. Toutefois on n'oubliera pas
que, ce faisant, nous trahissons l'orthodoxie struc-
turaliste qui, méthodologiquement, refuse toute
référence à un contenu sémantique des signes.

Mais notre intention n'était pas d'écrire une
syntaxe structurale du français.

Chapitre II

LE MOT ET LES MODALITÉS

Les modalités sont les marques d'actualisation minimum qui permettent à un lexème d'entrer dans la phrase.

Ainsi le nom est marqué en genre, en nombre et en détermination minimum ; le verbe en personne et nombre, en temps, en mode, en voix et en aspect. L'adjectif et l'adverbe constituent des catégories secondaires, déterminatives du nom et du verbe ; ils sont marqués en degré (comparatif, superlatif) ; l'adjectif reçoit, en outre, la marque du genre et du nombre qui lui permettent de réaliser l'accord avec le substantif.

Damourette et Pichon dans leur *Essai de grammaire française* désignent sous le nom d'assiette du substantif l'ensemble de ses déterminants semi-autonomes ; c'est là un terme heureux et que j'aimerais étendre aux modalités propres à chaque catégorie ; il y a une assiette du nom, une assiette du verbe, une assiette de l'adjectif qui permettent de les « « asseoir » dans la phrase, et faute de quoi ils ne sauraient y prendre place.

I. — L'assiette du nom

Le nom, en français, est marqué en genre, en nombre et en détermination minimum.

a) *Le genre*, en français, ne constitue pas un système d'oppositions ; le nom est soit masculin, soit féminin.

Seuls les noms d'êtres vivants opposent un masculin à un féminin ; mais cette distinction n'a jamais été entièrement grammaticalisée, et il est difficile de reconnaître un système dans les alternances du type : *un président-une présidente, un docteur-une doctoresse, un concierge-une concierge, un cheval-une jument*, etc.

La disparition du neutre latin a, par ailleurs, plongé dans l'arbitraire et le chaos le genre des noms de choses privé de tout support logique. Le genre constitue une des grandes difficultés pour l'étranger, sans parler de bien des Français comme l'attestent les listes de mots difficiles ou douteux.

Dans l'incertitude de la règle et à défaut d'un sexe naturel, le locuteur cherche à justifier le genre à partir d'un double critère, formel ou sémantique.

Tantôt on confère le féminin à des noms terminés par un *e* muet, et inversement. Les illettrés disent volontiers *une chrysanthème* ou *une élastique* et les plus savants hésitent sur le genre de *stalagmite* ou d'*hypogée*. Certaines de ces hésitations ont été entérinées par l'usage qui admet les deux genres pour des mots comme *automne, effluve* ou *entrecôte*. L'étymologie ne perd pas ses droits et on discute de savoir s'il faut dire *un interview*, puisque le mot est du neutre en anglais, ou *une interview*, puisqu'il représente le français *entrevue*. Le genre de certains mots a changé au cours de l'histoire.

Tantôt on assimile le nom à un nom de sens analogue dont le genre est connu et qui est alors sous-entendu.

Ainsi les noms de villes peuvent être distingués en féminins ou masculins, selon qu'ils sont ou non terminés par un *e* muet (critère formel), mais on peut aussi bien attribuer uniformément

le genre féminin en sous-entendant : *(la ville de)
Lyon bourgeoise et méditative.*

Rien ne montre mieux la confusion et l'arbitraire
de cette modalité que les discussions soulevées par
le genre des noms de bateaux. Faut-il dire : *Le Normandie*, *La Normandie*, *Normandie*. Il a fallu
rien moins qu'une circulaire du ministère de la
Marine (13 août 1934) pour décider que les unités
de guerre doivent recevoir l'article, et le genre de
leur patronyme ; mais toute une école reste en faveur
de *Le Normandie*, en sous-entendant « paquebot,
bateau... ».

Il est instructif de voir comment cette situation
s'est développée. En ancien français, *navire, nef*
sont des mots féminins ; les navires, assimilés à des
individus, reçoivent un nom de personne (sauf les
vaisseaux de transport qui n'avaient en général
pas de nom, pas de nom, en tout cas, mentionné
par les textes qui nous sont parvenus) ; ce nom
est toujours un féminin : « C'était une frégate qui
s'appelait *La Danaé* » ; et on appelait de même un
bateau *La Françoyse* ou *La Normande*. Ultérieurement sont nés des génériques masculins (croiseur,
cuirassé, paquebot, etc.) dont la logique eût voulu
qu'ils aient reçu des noms de personne masculins,
mais tel n'a pas toujours été le cas. Par ailleurs
une nouvelle source de confusion s'est créée par
l'habitude de donner aux bateaux des noms de
pays, de provinces ou de villes. L'Anglais qui a
conservé pour les noms de navires le vieux genre
féminin n'appelle pas un bateau *Scotland* ou
London (Ecosse ou Londres) mais *Queen*, *Empress*,
Maid of Scotland (Reine, Impératrice, Fille
d'Ecosse).

Mais, pour revenir au genre, il n'est plus en français qu'une survivance arbitraire et destinée à l'origine à réaliser l'accord de l'adjectif. Par ailleurs il présente ce caractère particulier, et lourd de conséquence, qu'il est solidaire des déterminants semi-autonomes du nom ; c'est l'article qui porte le genre.

b) *Le nombre* oppose un singulier à marque zéro à un pluriel qui est une désinence -*s* ; mais, en dehors de pluriels irréguliers et de certaines liaisons, cet *s*, qui survit dans l'orthographe, a cessé d'être articulé et le nombre, comme le genre, a été transféré sur l'article, ce qui constitue un des traits les plus originaux de notre syntaxe (cf. *infra*, p. 35).

Les règles de formation et d'emploi du genre diffèrent selon que le nom est commun ou propre, concret ou abstrait, individuel ou collectif (et aussi simple ou composé).

Ces catégories traditionnelles de la grammaire se ramènent à une distinction fondamentale que j'ai déjà décrite dans ma *Grammaire* (cf. p. 94 et ss.).

Il y a trois types de noms :

1) Les individus appartenant à des collections numérables (arbres, chiens, chaises, etc.) ;
2) Les substances sécables mais non numérables (l'eau, le fer, la laine, etc.) ;
3) Les individus seuls de leur espèce et, par conséquent non numérables, ni sécables (en principe les noms propres).

Seuls les premiers peuvent normalement recevoir la marque du pluriel et opposer *un* à *plusieurs* ; les seconds sont quantifiables *(un peu* ou *beaucoup)* mais non numérables ; les derniers sont toujours uniques.

Il s'agit donc de catégories qui n'ont pas la même assiette numérique et qui constituent des sous-catégories du substantif. Comme on le montrera plus bas ils gardent la possibilité d'être transposés d'une catégorie dans une autre (cf. *infra*, p. 69).

Cumulé dans la détermination, par ailleurs, le nombre a développé en français un système de valeurs très original et sur lequel on reviendra à propos de l'article. Enfin nous renvoyons aux grammaires pour l'initiation aux secrets des pluriels irréguliers et aux mystères du nombre des mots composés. Grévisse relève, par exemple, qu'il faut écrire des *cache-nuque*, mais des *couvre-nuques*. L'usage s'est fixé différemment selon qu'on s'est placé sous l'angle formel qui confère à *couvre-nuques* l's du pluriel, ou sous l'angle sémantique qui veut que les *cache-nuque* ne cachent chacun qu'une seule nuque. C'est toujours la même ambiguïté, mais purement factice, puisque la seule marque du pluriel est dans l'article ; la désinence n'est qu'une survivance orthographique dont on ne peut s'empêcher de déplorer les incertitudes et la tyrannie. En matière de langage la contrainte normative est toujours le signe d'une double vanité : le vide de la marque et la futilité de la règle.

c) *Les déterminants semi-autonomes* du nom ont été ainsi désignés pour les distinguer d'une part des désinences qui fusionnent avec le radical, d'autre part des déterminants autonomes comme l'épithète ou le complément de relation. Morphologiquement, c'est aux premières qu'ils s'apparentent, dans la mesure où ils constituent avec elles l'assiette de la catégorie. D'autre part, comme on vient de le voir, avec l'amuïssement (effacement phonétique) des désinences de genre et de nombre, ce sont les déterminants qui ont hérité aujourd'hui de ces fonctions.

Les déterminants du nom forment un système qui comporte l'article indéfini, l'article défini, l'adjectif démonstratif, l'adjectif possessif, l'adjectif indéfini, l'adjectif interrogatif et exclamatif.

L'article défini est une forme du démonstratif. Le latin ne possédait pas d'article, mais, en revanche, un riche assortissement de démonstratifs, notre article est sorti de l'un d'eux qui a généralisé son emploi cependant qu'il perdait sa valeur de déictique, c'est-à-dire de signe destiné à indiquer.

L'article indéfini n'est, de même, qu'une forme sublimée du numéral *un*.

Le et *un* représentent donc les degrés minimum du démonstratif et de l'indéfini.

En anglais, de même, l'article défini *the* est une forme du démonstratif *this, that* et l'article indéfini *an, a* est une forme du numéral *one*.

Les systèmes de ce type, qu'on retrouve dans la plupart des langues indo-européennes, comportent généralement un degré zéro de la détermination ou absence de déterminant, qui, en privant le nom de son assiette, le désigne comme un virtuel, c'est-à-dire un concept, une abstraction qui n'est point actualisé, ni engagé dans une situation réelle et concrète ; d'où l'absence de déterminant dans de nombreux proverbes : *pierre qui roule n'amasse pas mousse* ; de même une expression du type : *demander carte blanche* oppose une carte imaginaire et métaphorique à la carte réelle qu'exprime : *demander une carte blanche*.

Ce système qui est celui de l'anglais ou de l'ancien français a été entièrement perturbé en français moderne par le cumul du genre et du nombre avec le déterminant. L'obligation de marquer le nombre neutralise et évince l'emploi du degré zéro.

C'est là un des problèmes les plus originaux et les plus importants de notre syntaxe et qui mériterait ici sa place plus que nul autre ; mais je dois renvoyer le lecteur à ma *Grammaire* (p. 92 et ss.) où je l'ai exposé à une époque où j'ignorais qu'on allait me demander d'écrire une syntaxe du français.

L'histoire de l'article en français est particulièrement intéressante dans la mesure où elle offre un exemple d'un conflit au sein d'un système qui s'est trouvé désorganisé à la suite d'un cumul de fonctions et n'a jamais retrouvé son juste équilibre par la suite.

Le démonstratif, en revanche, présente la situation inverse. Le français archaïque hérite du latin les deux formes *cet* et *cel(ui)* qui opposent le rapprochement à l'éloignement et qui, l'une et l'autre, ont fonctions à la fois d'adjectif et de pronom. Cependant, de bonne heure une tendance s'amorce qui vise à employer *cet* comme adjectif et *cel(ui)* comme pronom. Il y a alors un déficit dans le système qui possède un adjectif de rapprochement et un pronom d'éloignement mais perd son adjectif d'éloignement et son pronom de rapprochement. Il en résulte une longue période d'incertitude d'ambiguïté et de désordre, jusqu'à ce que la langue finisse par spécialiser *cet* comme adjectif et *cel(ui)* comme pronom, en les faisant entrer dans une nouvelle série d'oppositions *cet...ci-cet...là* et *celui-ci-celui-là*. Le conflit a été résolu par un décumul des fonctions.

II. — Les pronoms

Les pronoms constituent une classe de signes qui représentent le nom dans le discours. Certains sont des formes substantivées des différents déterminants semi-autonomes du nom.

On distingue :

Les pronoms personnels qui désignent la personne selon qu'il s'agit de celle qui parle, à qui l'on parle, dont on parle (je, tu, il (elle)).

Les pronoms démonstratifs : celui-ci, celui-là.

Les pronoms possessifs : le mien, le tien, etc., qui sont des formes nominalisées des adjectifs mon, ton, son, etc., et dont ils représentent des formes accentuées.

Les pronoms indéfinis : on, rien, personne, quelqu'un, etc.

Les pronoms interrogatifs : qui, que, quoi, lequel, etc.

Les pronoms relatifs dont il sera question plus loin.

On renverra le lecteur aux grammaires pour savoir quels pronoms sont invariables (*je*, *tu*, *on*, etc.), quels varient en genre et en nombre ou en nombre seulement.

Ce qu'il faut relever ici c'est que les pronoms constituent des systèmes complexes qui ont conservé de nombreux vestiges d'un état archaïque : déclinaisons, neutre, formes accentuées.

Les personnels, les interrogatifs, les relatifs opposent des cas sujets à des cas objets : *je te crois-tu me crois* ; *qui est là-que voulez-vous*, etc., et la troisième personne du singulier a même un troisième cas qui est un ancien datif *(lui)* commun aux deux genres; on décline donc: *il* ou *elle dit*; *Pierre le* ou *la voit* ; *Pierre lui dit*.

Enfin les pronoms ont gardé des vestiges du neutre : *le* est un neutre dans *je le pense* et sa forme accentuée est *je pense à cela*. *Que*, *quoi* sont des neutres ; *y*, *en*, d'origine adverbiale, ont aussi valeur de neutres. Le démonstratif possède un neutre très employé *ce*, *cela*.

La valeur de ce neutre est évidemment mal sentie, faute d'être soutenue par le système de la langue ; aussi des formes comme *tu me le paieras*, deviennent-elles dans la langue familière : *tu me la paieras*, dans lequel il semble y avoir une ellipse pour : *la chose*, qui tend à devenir une sorte de pronom neutre en français (cf. *la chose est claire*).

III. — L'assiette du verbe

Le verbe est marqué en personne et nombre, en temps, en mode, en voie et éventuellement en aspect.

a) *La personne* verbale est une désinence qui marque l'action selon qu'elle est effectuée par celui qui parle, à qui l'on parle, dont on parle. Ces trois personnes comportent deux degrés, le singulier et le pluriel qui constituent la catégorie du *nombre*.

La personne est une des catégories fondamentales de la syntaxe. La phrase prédicative consiste en effet à attribuer un prédicat (une détermination) à un sujet qui est soit le locuteur lui-même, soit l'allocuteur, soit un tiers ; d'où la situation en trois personnes, qu'on retrouve à la base de toutes langues et qui est définie par la nature même de la communication linguistique.

Un des traits remarquables du français est l'effacement des désinences personnelles dans la prononciation ; c'est le cas pour le présent de l'indicatif et du subjonctif des verbes de la première conjugaison et pour l'ensemble des imparfaits de l'indicatif ; c'est-à-dire pour la grande majorité des formes.

On conjugue : *j'aime, tu aime(s), il aime... ils aimen(t)*, et c'est en réalité le pronom qui porte la marque de la personne (1). Cette situation est celle de l'anglais. En revanche, en latin, en ancien français, en provençal, en italien, la personne est marquée

---

(1) Ceci apparaît dans la tournure populaire, *ma sœur elle dit* et même *il dit* qu'il ne faut pas confondre avec la mise en relief *ma sœur, elle dit* (cf. *infra* p. 67).

par la désinence, et le pronom personnel, facultatif,
a une valeur lexicale et sert à désigner la personne
emphatiquement. L'obligation d'employer dans tous
les cas le pronom sujet a donné naissance, en français, à la construction emphatique : *moi, je...,
c'est moi qui...*, dans laquelle le pronom est répété
sous une forme accentuée qui est celle du cas complément, le cas sujet ayant perdu de bonne heure sa
forme forte (cf. ma *Grammaire*, p. 89 et ss.).

La situation, on le voit, s'apparente à celle de la
désinence numérale qui, dans le nom, a été aussi
transférée en avant sur l'article, en entraînant des
changements dans l'emploi de ce dernier.

b) *Les temps* forment un système qui oppose le
présent, le passé et le futur. D'autre part le passé
et le futur peuvent être pris comme origine du
temps et considérés comme des présents qui ont
chacun leur passé et leur futur. Il y a donc un passé
du passé (passé antérieur) et un passé du futur
(futur antérieur) ; et il y a un futur du passé (« passé
ultérieur ») et un futur du futur (« futur ultérieur »).

Cette classification et sa terminologie sont celles
de M. P. Imbs dans *L'emploi des temps verbaux en
français moderne*, auquel j'emprunte aussi le schéma
suivant :

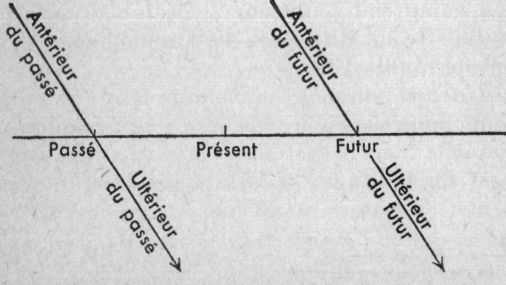

Dans le système primaire (hier, aujourd'hui, demain) on dira : *comme il n'a pas achevé sa tâche* (passé) *il pense* (présent) *qu'il la reprendra demain* (futur).

Dans le système du passé (la veille, ce jour-là, le lendemain) ; *comme il n'avait pas achevé sa tâche* (antérieur du passé) *il pensa* (passé) *qu'il la reprendrait le lendemain* (ultérieur du passé).

Dans le système du futur (auparavant, alors, après) : *quand il aura achevé sa tâche* (antérieur du futur) *il estimera sans doute* (futur) *qu'il faudra la reprendre* (ultérieur du futur).

Ces valeurs sont évidemment plus ou moins imprégnées du contenu contextuel. *Achever, reprendre* expriment l'aspect ; de même la négation dans *il n'avait pas achevé* transforme le perfectum en imperfectum. L' « ultérieur du futur » est un « temps » lexicalisé dans lequel *il faudra reprendre* est un double futur, puisqu'*il faut reprendre* est un équivalent du futur.

Le tableau, en tout cas, met en évidence la valeur du conditionnel présent qui est bien un « ultérieur du passé » (un futur du passé). Il l'est étymologiquement (1) et sémantiquement ; dans la construction : *si j'étais riche je voyagerais*, la richesse est conçue comme une condition préalable du voyage. Et on comprend pourquoi la grammaire moderne voit dans le conditionnel, non un mode, mais un temps de l'indicatif.

c) *L'aspect* complète ces temps dont les emplois ne sont compréhensibles que si on dégage l'opposition aspectuelle dont le système temporel est imprégéné.

C'est un héritage du latin qui a deux séries de présents, de passés et de futurs ; les uns qui sont

---

(1) *Je chanterais* représente *cantare habebam* (j'avais à chanter).

des perfectums indiquent que l'action est achevée, les autres qui sont des imperfectums expriment des actions en cours de procès. Ce système, déjà incomplètement équilibré en latin, s'est dégradé en français et il n'en reste que des vestiges, dont la fonction toutefois est très importante. Théoriquement et étymologiquement, on a le schéma suivant :

	Présent	Passé
Imperfectum	Je chante	Je chantais
Perfectum	J'ai chanté	Je chantai

L'imperfectum est l'aspect de l'action en cours de procès, non terminée ; il est apte donc à exprimer la permanence, l'habitude, la répétition, la continuité... selon le contexte lexical qui détermine *l'effet de sens*. Le français oppose un imperfectum du présent et un imperfectum du passé dans une série d'emplois symétriques, au point qu'on a dit parfois que l'imparfait était « un présent du passé ».

Voici une double série d'exemples :

Présent	*Imparfait*
1º Le chien dort.	Le chien dormait.
2º Ce chien mord.	Ce chien mordait.
Le chien aboie, le chat miaule.	Les Gaulois étaient blonds.
3º Je sors de l'hôpital.	Je sortais de l'hôpital.
J'arrive à l'instant.	J'arrivais bientôt.
4º Un mot, vous êtes mort.	Un mot, vous étiez mort.
Alors je me lève et sors.	Je venais vous voir.
5º Si vous venez je partirai.	Si vous veniez je partirais.

1º Le présent *(le chien dort)* et l'imparfait *(le chien dormait)* indiquent une action actuelle et non encore achevée, au moment dont on parle (présent ou passé).

2º Dans *ce chien mord, ce chien mordait* il s'agit d'une action virtuelle, présentée comme un caractère habituel propre à un individu.

Dans *le chien aboie, les Gaulois étaient blonds*, ce caractère habituel est un trait général propre à une catégorie ou à une espèce. C'est pourquoi il ne peut être mis au passé que dans la mesure où cette catégorie est aujourd'hui éteinte (les Gaulois).

3º *Je sors de l'hôpital, je sortais de l'hôpital* désignent un passé récent, immédiat (quasi présent) par rapport au temps grammatical (je viens de sortir, je suis juste sorti, je venais de sortir, j'étais juste sorti).

De même *j'arrive à l'instant, j'arrivais bientôt* sont des futurs immédiats par rapport au présent ou au passé.

4º Dans *un mot, vous êtes mort !*, *un mot, vous étiez mort !*, il s'agit de même d'un futur immédiat, mais présenté comme une conséquence directe et nécessaire d'une action présente ou passée.

5º On retrouve le même emploi de l'imparfait dans les conditionnels.

Dans *si vous venez je partirai*, *venez* est un présent relativement au futur, c'est donc en réalité un futur ; de même dans *si vous veniez je partirais*, *veniez* est un passé relativement au futur hypothétique, c'est donc un futur antérieur.

A ces imperfectums (présent et imparfait) s'opposent les deux perfectums (passé composé et passé simple).

Historiquement, le passé composé est un perfectum du présent et il continue à assumer cette valeur selon le contexte et le sémantisme du radical : *j'ai fini, partons.*

Le passé simple est un perfectum du passé, il marque que l'action a été accomplie et achevée à un certain moment du passé : *il ouvrit la porte et sortit*.

Dans des tours du type : *il marcha trente jours, cent fois je recommençai*, la durée ou la répétition sont en réalité conçues comme des points dans le temps. C'est pourquoi de tels passés méritent, comme celui de notre premier exemple, le nom de *ponctuels* qu'on leur donne parfois.

De même que l'imparfait, le passé simple s'oppose au présent virtuel pour exprimer un caractère propre à un individu : *jamais ce chien ne mordit* ; ou à une espèce : *jamais bon chien ne mordit*. Mais de telles constructions, purement littéraires, archaïques et stylisées, sont étroitement tributaires du contexte. La synonymie (partielle) des deux tournures : *ce chien ne mordait pas, jamais ce chien ne mordit* tient d'ailleurs à la faible grammaticalisation des oppositions aspectuelles.

D'autre part le système du perfectum a été considérablement altéré en français, du fait que le passé composé — qui est primitivement et reste encore quelquefois un temps du présent — est de bonne heure devenu un temps du passé, qui a progressivement empiété sur les emplois du passé simple, au point qu'il tend aujourd'hui à se substituer à lui. Nous examinerons cet intéressant problème au chapitre de l'évolution (cf. p. 105).

d) *Les modes* marquent la façon dont le sujet parlant considère l'action. Le français oppose *l'indicatif* et *le subjonctif* ; quant à *l'impératif* il n'appartient pas au système de la syntaxe prédicative (cf. *infra*, p. 98) ; pour l'infinitif et le participe ce ne sont pas des modes mais des formes nominales du verbe (cf. *infra*, p. 80).

L'indicatif est le mode de l'action considérée objectivement ; il indique que le fait a lieu, a eu lieu, aura lieu ; ce qui n'exclut pas qu'elle puisse être conçue comme hypothétique, le conditionnel étant, comme on vient de le dire, généralement considéré aujourd'hui comme un temps de l'indicatif.

Le subjonctif, en français moderne, exprime un fait simplement envisagé dans la pensée ; selon la définition de M. Grevisse c'est « un mode subjectif et un mode du dynamisme psychique ». M. Imbs, qui a consacré une étude à ce sujet (1), nous dit que « le subjonctif s'emploie chaque fois que le fait relaté n'est pas entièrement actualisé ou que sa réalité actuelle n'est pas la visée principale du sujet pensant ».

Les nombreux emplois du subjonctif se ramènent à cette valeur primaire. Mais c'est surtout un mode subordonné à des verbes qui expriment : une volonté, un ordre, une défense, une prière, un doute, une négation, une opinion subjective.

C'est pour cette raison que les circonstancielles causales, finales, consécutives, conditionnelles et certaines temporelles réclament le subjonctif.

Dans toutes ces constructions c'est une forme sémantiquement régie, imposée par le verbe principal et qui n'entre pas en opposition avec l'indicatif ; c'est dire qu'il n'a pas de valeur propre. Certes, dans certaines relatives on peut opposer les deux modes : *il a pris un guide qui le conduisît...*, c'est-à-dire pour le conduire, mais c'est un archaïsme, purement littéraire. Il en est de même d'un tour concessif du type : *que vous veniez, la chose est faite*. Et si on oppose *on me dit que tu viens*, *on me dit que tu viennes*, c'est la valeur du verbe principal qui est différente dans les deux cas.

De ce point de vue le subjonctif n'est qu'une

---

(1) P. Imbs, *Le subjonctif en français moderne*. Essai de grammaire descriptive, Mayence, 1953.

survivance ; une forme non permutable étant dépourvue de valeur comme on n'a cessé de le dire.

Dans la proposition principale, toutefois, le subjonctif a bien une valeur propre ; il exprime l'ordre *(qu'il vienne)*, le souhait *(Dieu vous garde)*, l'affirmation atténuée dans des locutions figées *(je ne sache pas)*.

Morphologiquement le subjonctif présente un système de quatre formes : deux temps simples, le présent (que je chante) et l'imparfait (que je chantasse) ; deux temps composés, le passé (que j'aie chanté) et le plus-que-parfait (que j'eusse chanté), en ajoutant, pour mémoire, une forme surcomposée, le passé antérieur (que j'aie eu chanté).

Pratiquement l'imparfait et le plus-que-parfait ne sont que des survivances littéraires, et on n'oppose qu'un présent : *que je chante*, à un passé : *que j'aie chanté*, homologue du passé composé de l'indicatif.

Mais cette opposition n'est pas temporelle, ou plus exactement la valeur temporelle se résout en une opposition d'aspect, le subjonctif présent est la marque de l'éventuel et le subjonctif passé celle de l'irréel.

Dans *il faut que je chante* le chant est considéré comme une éventualité présente.

Dans *il fallait que je chante*, comme une éventualité présente à un moment du passé et dans *il fallait que j'aie chanté* comme une éventualité passée, et par conséquent non réalisée.

C'est l'opposition qu'on retrouve au conditionnel entre *je chanterais* et *j'aurais chanté* ; et on comprend pourquoi le subjonctif exprime le conditionnel en latin et en ancien français ; fonction dont la langue moderne a gardé des vestiges.

Subjonctif et conditionnel sont des formes de

l'action postulée ; mais le subjonctif la postule réellement et le conditionnel exprime cette postulation comme une hypothèse. Dans ce système le subjonctif imparfait et la règle de concordance des temps ne répondent plus à aucune fonction et ne survivent plus que dans l'usage littéraire (cf. ma *Grammaire*, p. 117 et ss.),

IV. — L'adjectif et l'adverbe

L'adjectif détermine le nom et l'adverbe détermine le verbe (cf. chapitre III). Cette détermination peut être intrinsèque (un chien *noir*, parler *fort*) ou extrinsèque (une statue *équestre*, habiter *ici*).

L'adjectif est marqué en genre et en nombre par des désinences qui tendent à s'amuïr dans la plupart d'entre eux. Ces modalités, sans support sémantique, assurent l'accord syntaxique avec le nom. L'adjectif est un substantif ou un participe dont l'assiette est réduite et dépourvue des déterminations qui identifient le nom ou le verbe.

L'adverbe de même est un adjectif ou un substantif, dépourvu d'assiette ; un adjectif invariable dans *parler bas*, *frapper fort*, etc. ; un substantif régi par une préposition dans *aujourd'hui*, *avec plaisir*, etc. ; substantif encore une fois sans assiette, ce qui distingue les locutions adverbiales des compléments circonstanciels : *avec plaisir*, *sans peine*, etc., sont des adverbes, *sans la peine de...* est un complément circonstanciel.

L'adjectif et l'adverbe intrinsèques reçoivent la marque du degré, absolu, superlatif et comparatif.

Il y a un degré absolu (ou zéro) : *la rose est rouge* ; *il marche vite* et un degré superlatif : *la rose est très rouge, il marche très vite* ; toute une série d'adverbes lexicalisés peuvent se substituer au morphème *très* dans cette fonction (*fort, tout à fait, super*, etc.).

Considérée relativement, la qualification comprend trois degrés de comparaison : égalité *(aussi rouge que, aussi vite que)* ; supériorité *(plus rouge, plus vite)* ; infériorité *(moins rouge, moins vite)*.

Précédés de l'article les comparatifs de supériorité et d'infériorité forment des superlatifs relatifs *(la plus rouge, le plus vite)*.

Le français moderne a conservé du latin trois comparatifs synthétiques : *moindre* et *moins*, *meilleur* et *mieux*, *pire* et *pis*. L'ancienne langue connaissait plusieurs autres formes semblables, aujourd'hui éteintes : *graignor* (plus grand), *gentior* (plus noble), etc.

L'expression du degré peut être lexicalement neutralisée dans les adjectifs et adverbes qui ont eux-mêmes la valeur d'un superlatif ou d'un comparatif. *Absolu, divin, énorme, excellent*, etc., sont déjà des superlatifs ; de même *aîné, cadet, antérieur, extérieur, majeur, mineur* sont des comparatifs. Des mots comme *double, triple, carré*, etc., n'admettent pas non plus de degré car ils désignent des qualités qui ne sont pas susceptibles de variation sans perdre leur identité.

D'une façon générale, seuls les adjectifs et adverbes tirés d'adjectifs ou de participes passés admettent le degré, à l'exclusion des dérivés nominaux ; ainsi *une auto décapotable, venir aujourd'hui*, mais *une journée très ensoleillée, très sévèrement, très loin*, etc.

Décider jusqu'à quel point on peut parler d'*une situation très inférieure, de sentiments très intimes*, d'*un nez très aquilin* est une question d'usage, de sentiment de la langue où de transposition stylistique.

La préposition n'est pas autre chose qu'un adverbe qui, à l'origine, spécifie la rection ou lien entre le déterminant et le déterminé ; en français, avec la déchéance des cas, la préposition est devenue la marque de la relation.

V. — Conclusions

Considérée avec un certain recul, l'analyse du mot français et de ses modalités suggère quelques premières conclusions :

Le caractère arbitraire du genre, y compris les vestiges d'un neutre propre aux pronoms, entraîne des hésitations et des troubles.

Le décumul de la plupart des marques de modalités qui, passant de la désinence sur des morphèmes préfixés, en altère les fonctions (article, pronom).

La déchéance du subjonctif qui a cédé une partie de ses fonctions au conditionnel.

La structuration défectueuse de l'opposition perfectum (action achevée) et imperfectum (action inachevée) ; avec tous les troubles consécutifs dans l'emploi du passé simple (cf. *infra*, p. 105).

Mais de toutes ces tendances, la plus importante et la moins connue, la moins bien observée, est l'opposition actuel-virtuel, qui précisément échappe au système du français moderne.

On a dit que les modalités sont des marques d'actualisation ; actualisation formelle, qui permet au signe d'entrer dans le discours, mais qui correspond à des valeurs sémantiques (qualité, quantité, lieu, temps, etc.).

Or, il arrive qu'on envisage les choses sous leur aspect général, abstrait ; on parle de l'*homme* (l'espèce humaine) du *chien*, *de la colère*, etc., sans référence à une manifestation concrète et déterminée d'une colère, d'un chien dans une situation actualisée.

Une des façons d'exprimer ce caractère virtuel de la notion est de la désigner par un signe dépourvu d'assiette syntaxique, puisque les modalités qui définissent cette assiette actualisent des déterminations.

Mais on comprend que la syntaxe puisse entrer ici en conflit avec le sens, dans la mesure où la première exige l'indication de modalités non actualisées, mais nécessaires à l'expression des liens syntagmatiques.

Il est remarquable que le français moderne a sacrifié l'expression du virtuel qui est grammaticalisé dans l'ancienne langue de même qu'il l'est resté en anglais.

Ainsi l'anglais oppose un verbe virtuel et un verbe actuel : *he drinks* (il boit, c'est un ivrogne), *he is drinking* (il est en train de boire) ; opposition qu'on retrouve au niveau du substantif : *man drinks-the man is drinking*.

En français moderne *l'homme boit* est actuel ou virtuel selon le contexte.

La distinction est structurale ; dans *l'homme boit* pris au sens général et virtuel, ni l'article, ni la forme temporelle n'entrent dans un système d'oppositions : à *le* on ne peut pas substituer *mon*, *ce*, *quel*... ; à *boit* on ne peut pas substituer *buvait*, *boira* ; il en résulte que ni l'article, ni le temps n'ont ici de valeurs ; ils n'appartiennent donc pas au système des déterminants du substantif ou du verbe. Il n'y a pas, ici, un présent mais un intemporel ; de même *homme* n'est pas déterminé par *le*, n'est pas opposé à un autre homme (*un*, *ce*, *mon*, etc.) ; il s'agit donc bien d'*un homme* entièrement indéterminé, d'où résulte le sens d'un homme conçu dans sa généralité, et hors de toute spécification.

L'article et le présent fonctionnent ici comme des

degrés zéro de l'actualisation ; mais l'ancien français ou l'anglais possèdent dans ce cas un degré zéro de la marque, une absence d'article. Il nous en est resté des traces dans les proverbes ou sentences qui sont des virtuels : *pierre qui roule n'amasse pas mousse*, etc. Mais le français a perdu cette marque particulière au moment où l'effacement des désinences a transféré le genre et le nombre sur l'article (cf. *supra*, p. 34).

Il semble bien, par ailleurs, que ce soit un des traits de la langue moderne que l'opposition actuel-virtuel y est mal sentie ; en tout cas elle est mal marquée et on retrouve la même déchéance de l'opposition dans le système du verbe qui n'a jamais grammaticalisé les vieilles formes de l'actuel comme *il va sommeillant, il est en train de lire*, etc.

En français l'article est devenu la marque du substantif alors qu'il était autrefois la marque de l'actualisation du substantif ; c'est par un même procès que la préposition *de* tend à fonctionner comme marque de la substantification du verbe et non plus comme marque de la rection (cf. *infra*, p. 80).

Il en résulte qu'en français le nom sans article n'est pas un substantif :

Un chapeau de feutre, de gendarme, de prix, etc., *une robe olive, des gants beurre frais, une histoire farce*, etc., sont des adjectifs.

Sans peine, avec grâce, à pied, etc., sont des adverbes.

Il fait froid, j'ai faim, faire peur sont des verbes, dans lesquels le radical reçoit des modalités verbales portées par un auxiliaire.

Il s'agit de formes particulières de la transposition (cf. *infra*, p. 69 et ss.).

Chapitre III

LA PROPOSITION ET LES RELATIONS

Les mots, tels qu'on vient de les définir — c'est-à-dire les signes pourvus de leurs modalités d'actualisation minimum à un premier niveau de relations syntaxiques —, les mots se combinent entre eux, en un énoncé, sous forme d'une proposition autonome (dite indépendante) et constituant une phrase ; phrase qui peut aussi combiner plusieurs propositions.

La proposition constitue l'énoncé minimum et sa structure est définie par les relations entre les mots ; c'est-à-dire par les types de relations entre types de mots définis par leurs modalités.

La combinaison de deux mots forme un syntagme ; et de même qu'il y a des catégories de mots (substantifs, verbes, etc.), il y a des catégories de syntagmes.

Les catégories syntagmatiques sont définies par leur forme (type des mots combinés dans le syntagme et mode de relation entre ces mots) ; elles peuvent être aussi définies par leur sens — on dit encore leur fonction ; ainsi il y a une fonction sujet qui définit un certain mode de relation à la fois formelle et sémantique, entre le substantif et le verbe.

Une même fonction peut être exprimée par

plusieurs formes — ainsi le complément d'objet
est construit directement ou indirectement — et une
même forme peut avoir plusieurs fonctions — ainsi
l'accord marque la relation verbe-sujet ou la relation substantif-épithète, etc.

D'où l'extrême difficulté d'une description cohérente ; et le grammairien doit opter entre une syntaxe des formes ou une syntaxe des fonctions.
Mais le présent ouvrage n'ayant qu'une visée didactique, et non épistémologique, nous examinerons séparément un inventaire des fonctions, puis des formes. La proposition est donc conçue comme une combinaison de fonctions dans le premier cas, comme une combinaison de mots dans le second.

I. — Les fonctions sémantiques

Dans la proposition prédicative, un locuteur attribue un prédicat — c'est-à-dire une qualité, un état, une action, une pensée, un sentiment, un désir — à un sujet qui peut être lui-même (je), la personne à qui il parle (tu) ou une troisième personne (il).

La proposition est dite verbale ou nominale selon que le prédicat est un verbe ou un nom (adjectif ou substantif) : *il chante, il est grand (il est médecin)*.

Cette proposition minimum est composée d'un radical (verbal ou nominal) affecté des morphèmes d'actualisation du verbe (personne, temps, mode). La différence tient à ce que ces morphèmes se combinent directement avec le radical verbal, alors que le prédicat nominal est verbalisé par l'intermédiaire d'un auxiliaire porteur des marques du verbe ; cet auxiliaire est un verbe d'état (*paraître, sembler, devenir*, etc.) dont le verbe *être*, ou copule d'attribution, constitue un degré minimum sémantiquement vide, et que certaines langues réduisent à un degré zéro

de la marque : *pulchra rosa* (la rose est belle) (1).
Le verbe ou l'attribut nominal verbalisé constitue
donc l'énoncé minimum attribuant un prédicat à
un sujet qui est l'une des trois personnes du discours.

Cet énoncé s'étend par spécification du sujet et
du prédicat. Le sujet est spécifié sous forme d'un
substantif et la liaison verbe-sujet est alors marquée
par l'accord en nombre et personne et par la séquence, le sujet précédant le verbe : *le cheval
galope*.

Ce dernier exemple constitue un énoncé complet,
en ce sens que l'action verbale se suffit à elle-même,
elle est effectuée par le sujet sans effet ni visée
extérieure. On dit que *galope* est un verbe intransitif (de même *dormir*, *courir*, *vieillir*, etc.).

Les verbes transitifs, au contraire, expriment une
action qui vise un objet : *il mange une pomme, le
cheval tire une charrette*. Verbes d'ailleurs qui très
souvent peuvent être construits intransitivement
par transposition (cf. *infra*, p. 74) : *il mange, le
cheval tire*, etc.

Le problème de la transitivité est sans doute
l'un des plus confus et des plus débattus de toute
la syntaxe.

Traditionnellement on définit comme transitifs
les verbes qui expriment une action douée d'effet
sur un objet qui est ainsi transformé, ce qu'on reconnaît formellement par la possibilité de renverser
le mouvement qui va du sujet à l'objet et de faire
de l'objet le sujet d'un verbe passif : *la pomme est
mangée, la charrette est tirée, le père est obéi*, etc. (2).

---

(1) On se gardera de confondre cette construction étrangère au
français avec les énoncés locutifs du type : *feu !*, *bas les pattes !*,
admirable ce tableau !, etc. (cf. *infra*, p. 95 et ss.).
(2) Mais alors *avoir* n'est pas un verbe transitif. Son complément
n'est pas un objet affecté mais un objet possédé ; *avoir* est un verbe
d'état — comme l'ont très bien montré Frei et Benveniste. C'est la

Selon cette définition un verbe comme *aller à Paris* est intransitif et on considère *à Paris* comme un complément circonstanciel de lieu.

La distinction traditionnelle entre complément d'objet (direct ou indirect) et complément circonstanciel est le plus souvent mal posée. Il y a en réalité des compléments du verbe (directs ou indirects) et des compléments circonstanciels (directs ou le plus souvent indirects). Mais le complément du verbe peut être fort bien une circonstance locale, temporelle ou autre, selon la nature du verbe.

Mais il est difficile de poser le problème du « complément » en termes purement sémantiques comme le fait la syntaxe traditionnelle, et on doit faire appel à des critères formels (cf. *infra*, p. 58) ; en effet si l'objet est ce qui complète l'action verbale, alors que la circonstance détermine l'ensemble de l'énoncé (1), il y a des compléments conjoints au verbe qui déterminent l'action en elle-même et des compléments disjoints, qui situent l'énoncé par rapport à l'espace, au temps, aux causes, aux conséquences, etc.

Les compléments conjoints qui déterminent directement le verbe lui sont étroitement associés ; ils le suivent plus ou moins immédiatement sans possibilité d'antéposition, alors que le complément disjoint a, au contraire, une large autonomie.

Considérons les compléments circonstanciels sui-

---

forme active du verbe *être*. En revanche *avoir* a bien un complément et qui peut être qualifié de complément d'objet si on veut bien admettre l'extension de cette notion. La construction et l'emploi très particulier du verbe *avoir*, que certaines langues ignorent, tiennent à ce qu'il est un verbe d'attribution ; la proposition attribue soit une action *(le chien aboie, ronge un os)*, soit un état *(le chien est malade)*, soit un objet *(le chien a la gale)* ; d'où *avoir peur, faim, soif*, etc., qui ne sont pas des compléments d'objet du verbe avoir mais des compléments d'attribution et donc des attributs du sujet.

(1) Voir à ce sujet A. Blinkenberg, *Le problème de la transitivité en français moderne. Essai syntacto-sémantique*, Kobenhavn, 1960.

vants : *il travaille dans son jardin, avec un ami, pour gagner de l'argent, parce qu'il est pauvre* ; toutes ces circonstances peuvent être déplacées et on entend : « il est dans son jardin et il travaille ». En revanche dans : *il travaille son jardin, à son jardin*, les deux termes ne peuvent être dissociés. Il en est de même dans : *je vais à Paris* ou *ce sac pèse cent kilos, il s'ennuie à mourir, il boit sans soif, il travaille en silence*, etc., qui ne sont pas des circonstances mais des déterminants de l'action verbale. Ces déterminants sont de deux sortes, selon qu'ils expriment la modalité de l'action ou son objet.

Les premiers sont des compléments de manière : *nu-pieds, en silence, sans peur, avec effort*, etc. ; les seconds expriment la visée de l'action et cette visée dépend de la nature du verbe, selon qu'il exprime une effection (*faire, produire, fabriquer, effectuer*, etc.), un acte verbal (*dire, crier, prononcer*, etc.), une attribution (*donner, céder*, etc.), un lieu, une direction (*aller, venir*, etc.).

En effet, un verbe de mouvement a pour visée un lieu ; c'est pourquoi dans *je vais à Paris*, Paris est le complément d'aller, l'objet de ce mouvement ; alors que dans *j'ai acheté ce livre à Paris*, Paris n'est que le lieu de l'achat ; l'un est un complément d'objet local, l'autre un complément circonstanciel de lieu, différence marquée par l'autonomie du second dans la chaîne parlée.

De même, dans *ce sac pèse cent kilos*, cent kilos définit le poids, l'état exprimé par le verbe ; c'est une qualification du verbe, le sac pèse lourd.

La proposition est donc formée d'un noyau et de circonstances : sujet-verbe-complément + circonstances.

Et chacun de ces termes peut être affecté de déterminations propres et dont la forme et la fonction

varient selon qu'il s'agit d'un verbe ou d'un nom
(sujet, complément, circonstance).

Sémantiquement — point de vue où nous nous
plaçons ici pour l'instant —, ces déterminations
peuvent être intrinsèques ou extrinsèques.

Intrinsèquement le substantif est qualifié par
l'adjectif qualificatif : *un cheval noir* ; extrinsèquement il peut être déterminé par un substantif complément de relation : *un cheval de fiacre*. Enfin il existe
un adjectif de relation, à valeur extrinsèque, qui
est une forme dérivée d'un nom ou d'un verbe, mais
dotée de l'assiette adjectivale : *un cheval espagnol*
(d'Espagne), *une tête frisée*.

Parallèlement le verbe est déterminé par des
adverbes à valeur intrinsèque qui marquent l'intensité, la quantité, la manière, la modalité affirmative
ou négative de l'action : *il travaille un peu, vite,
bien, vraiment*, etc. Il y a, d'autre part, des compléments de relation qui sont le plus souvent, comme
le complément de relation du nom, un substantif
qualifié ou régi par une préposition : *avec grâce,
en silence, tête-nue*, etc. ; ces compléments tendent
à se figer, à perdre leur assiette nominale et à
prendre la forme d'un adverbe.

Il ne faut pas confondre ces adverbes, déterminants du verbe, avec les adverbes de circonstances
(temps, lieu) qui sont des compléments circonstanciels figés dans une forme adverbiale et qui gardent
l'autonomie propre à la circonstance : *Demain,
je viendrais*.

Ces adverbes circonstanciels sont des substantifs
dépourvus d'assiette et qui peuvent être introduits
par une préposition *(aujourd'hui, demain, partout)*
ou former un syntagme autonome avec un qualificatif
(longtemps, maintenant, cette nuit).

Finalement la proposition comprend les termes suivants :

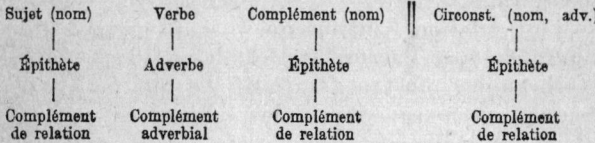

On a donc les fonctions suivantes :

Sujet, objet (au sens large), circonstance (la circonstance pouvant être un nom autonome avec sa pleine assiette et pourvu lui-même de déterminations ou un nom figé sous forme d'adverbe circonstanciel) ; et prédicat verbal ou nominal.

Le sujet, le prédicat, l'objet, la circonstance peuvent recevoir des déterminations, d'une part sous forme d'un adjectif épithète pour le nom et d'un adjectif adverbialisé pour le verbe ; d'autre part sous forme d'un substantif complément de relation du nom (et de l'adjectif), complément adverbialisé du verbe. Les deux fonctions sont symétriques ; comparez : *une chanson triste-chanter tristement ; une chanson silencieuse-chanter en silence* ; *une chanson de marche-chanter en marchant*.

L'ambiguïté de la terminologie traditionnelle tient au fait qu'elle confond avec les compléments circonstanciels d'une part des compléments d'objet locaux du type *aller à Paris*, d'autre part des qualifications du verbe (manière, prix, mesure). Confusion qu'on retrouve dans l'analyse des adverbes.

II. — La forme : 1° les rections

Il y a deux grands types de liaisons entre le déterminant et le déterminé : les accords de modalités et les rections prépositives. Les uns et les autres

sont souvent combinés avec l'amalgamation ou
juxtaposition des termes et la séquence ou ordre
des termes.

Les relations intrinsèques sont généralement
marquées par l'accord, tel est le cas de la liaison
verbe-sujet, substantif-adjectif. La relation extrinsèque
est marquée par des désinences casuelles
dans les langues à déclinaisons (latin, allemand,
russe) et par des prépositions dans les langues
comme le français qui ont perdu leur flexion
nominale.

Il y a en français trois grands types de rections
prépositives : les compléments circonstanciels, les
compléments du verbe ou compléments d'objet
au sens large défini plus haut (cf. p. 53), et les
compléments du nom.

La préposition est la marque de la circonstance,
c'est étymologiquement un nom déterminé par un
autre nom : *dans mon jardin* = à l'intérieur de mon
jardin ; ce que la langue populaire marque bien
par l'emploi prépositif des adverbes : *dedans mon
jardin*.

La préposition exprime une relation de lieu, de
temps, de tendance, d'origine, de but, de cause, de
moyen, d'accompagnement, d'opposition, etc.; c'est-
à-dire le rapport de deux notions dans le temps
ou dans l'espace ; rapport métaphorique dans le
but, la cause, mais qui est bien un rapport spatial.

L'emploi circonstanciel des prépositions est du
domaine du lexique plus que de la syntaxe, le signe
étant ici nettement sémantisé.

Tout autre est le cas du complément du verbe
— complément d'objet au sens traditionnel et
complément au sens étendu que nous avons donné
plus haut à ce terme. Ici, il n'y a entre le verbe et
son complément que le rapport d'un simple mouve-

ment en direction de l'objet, du lieu, de l'état visé. Ce rapport est abstrait et impliqué par les valeurs sémantiques des deux termes. C'est pourquoi, dans une langue comme le latin — en principe —, le complément est marqué par un simple cas sans préposition, l'accusatif pour l'objet premier, le datif pour l'objet second.

Le latin dit *eo Romam*, comme l'anglais dit *to go home* ou *come this way*.

En latin, c'est le cas (accusatif ou datif) qui est la marque de la liaison, la préposition, lorsqu'on l'adjoint au cas, ne fait que spécifier lexicalement la nature de cette liaison qui est toujours une simple idée de direction, une *rection* du verbe à l'objet. Le cas sans préposition, ou rection directe, est la marque d'une rection verbe-objet conçue dans sa généralité et non lexicalement spécifiée.

En français on a, malgré les apparences, une situation très voisine ; la rection est marquée par la postposition et l'amalgamation du complément (fonction du cas latin) et elle peut être spécifiée par une préposition (préposition latine) ; mais la préposition peut avoir dans cette fonction une valeur spécifique plus ou moins marquée. On retrouve ici les trois degrés de la spécification tels qu'ils ont été définis au premier chapitre (cf. p. 23) :
— valeur spécifique lexicalisée : *aller à Paris, presser sur le bouton* ;
— valeur générique : *obéir à son père, c'est de ma faute, s'ennuyer de sa fille* ;
— marque zéro : *écrire une lettre, manger une pomme*.

Le régime direct marque le rapport comme une simple liaison ; le régime indirect comme un mouvement, plus ou moins spécifié (vers, sur, après) mais qui sous sa forme la plus simple se ramène à une opposition de pure direction, selon que le mouvement est conçu comme allant du verbe à l'objet *(aller à Paris, obéir aux lois)* ou de l'objet au verbe *(venir de Paris, féliciter d'un succès)*. C'est pourquoi *de* et *à* apparaissent comme les marques de la rection minimum, voisines de la rection zéro (régime direct) et prêts à se confondre avec cette dernière.

Ceci apparaît bien dans l'emploi des prépositions devant un complément à l'infinitif ; on sait que la préposition tend ici à se généraliser aux dépens du régime direct ; et d'innombrables verbes construits directement avec un substantif demandent (ou acceptent) la préposition *(à* ou *de)* devant un infinitif. Ainsi *chercher, dire, demander, désirer* quelque chose, mais *chercher à venir, dire de venir*.

Or il devient difficile dans la plupart des cas de justifier sémantiquement l'emploi de *à* ou de *de* : on pourrait dire que dans *chercher à ouvrir la porte* il y a une idée de destination qui va du verbe vers l'objet ; mais cette même valeur se retrouve dans *il m'a dit de venir*.

L'opposition minimum *de-à* (origine-destination) s'est ici complètement effacée, les deux prépositions sont des signes vides qui se concurrencent comme marques génériques de la rection.

On sait que de nombreux verbes admettent les deux rections ; ainsi : *continuer, essayer, commencer, consentir, refuser,* etc. (le sang continue *à* couler ou *de* couler).

D'autres verbes ont un régime direct ou indirect : *désirer, détester, penser, manquer* (il préfère venir ou *de* venir). *Aimer* peut même prendre les trois régimes : *zéro, à, de*.

Par ailleurs l'usage a constamment varié au cours de l'histoire. On disait autrefois : *chercher de, consen-*

tir de, se plaire de ; mais *servir à Dieu, aider à quelqu'un* ; et on construisait *enseigner* avec un double régime direct : *enseigner les enfants la grammaire.*

On reconnaît ici la construction latine et anglaise ; et on ne doit pas s'étonner si le régime d'un même verbe varie d'une langue à l'autre ; les Anglais, par exemple, construisent *jouer* directement : *he plays marbles* (il joue aux billes) ; ce qui montre assez que *aux billes (marbles)* n'est pas conçu comme une circonstance mais comme l'objet du jeu.

Les grammairiens ont toujours tenté de justifier sémantiquement ces emplois ; Nyrop, par exemple, relève que « la langue actuelle envisageant le complément de certains verbes comme un résultat à atteindre le construit avec *à*, tandis que le XVIIIe siècle, l'envisageant comme une cause, le construisait avec *de* ».

Je pense qu'il n'y a là que le reflet de la concurrence incertaine entre les deux prépositions comme ligament pur à valeur générique.

Bien plus, la préposition tend à devenir une simple marque de la substantification du verbe ; étant de par sa fonction toujours suivie d'un nom, elle identifie toute forme qui la suit comme un nom et elle joue à l'égard de l'infinitif le rôle d'une sorte d'article qui le nominalise (1), de même qu'en anglais l'infinitif est nécessairement précédé de *to*. C'est pourquoi l'infinitif sujet est parfois pourvu d'un *de* qui n'a plus aucune fonction rective : *il est beau de mourir ; de le voir ne nous servirait de rien ; c'est à vous de jouer. De* est ici un simple article : *de mourir = la mort.*

Il en est de même de la conjonction *que* dans

---

(1) L'ancien français avait la possibilité de marquer l'infinitif de l'article et de la désinence du sujet, dans cette construction.

l'introduction d'une complétive-sujet *(qu'il soit mort m'importe peu)* dans laquelle *que* n'est pas un subordonnant mais substantifie la proposition (cf. *infra*, p. 80).

Il y a une sorte d'hypostase de la marque grammaticale ; cette dernière cesse de marquer une relation pour n'être qu'un simple indice de la catégorie qui entre ordinairement dans cette relation (1).

Il est donc vain de vouloir expliquer de telles constructions sémantiquement, comme on s'acharne à le faire.

Ceci apparaît bien dans le troisième type de rection prépositive, qui est le complément du nom. On a en effet ici une grammaticalisation de la marque aux dépens de ses valeurs spécifiques.

La spécification est l'exception dans des tours du type : *croyance en Dieu, goût pour les femmes, tourneur sur bois, invectives contre les voisins*, etc.

La plupart des prépositions cèdent devant *à* et *de* ; et le second l'emporte nettement dans cette concurrence. Ainsi on dit *chasse aux canards, visite à un ami, manquement aux devoirs, canne à pêche* ; mais fonctionnellement *canne à pêche* ne diffère pas de *fusil de chasse*. Et *de* — en dehors de quelques oppositions isolées *(tasse de café, à café)* — tend, comme on l'a dit, à constituer la marque générique vide du complément de nom.

Le français, sur ce point, a réalisé la grammaticalisation du rapport et il est vain, voire inopportun, de vouloir maintenir des oppositions sémantiques factices et qui alourdissent la grammaire.

L'emploi circonstanciel des prépositions, en revanche, reste ouvert et ne s'est pas jusqu'ici struc-

---

(1) Ainsi le *que* de subordination n'est plus qu'un simple indice du subjonctif dans : *qu'il vienne.*

turé en un système. Les catégories essentielles sont masquées et altérées par le syncrétisme et la **poly-valence des marques**. C'est-à-dire qu'une même préposition assume plusieurs valeurs circonstancielles hétérogènes et que la même valeur est marquée de signes différents.

Ainsi on dit :

— sortir par la fenêtre ;
— partir par tous les temps ;
— prendre par les oreilles ;
— transmettre par fil ;
— battu par les vents.

En revanche une même valeur peut être exprimée par plusieurs prépositions et on dit indifféremment : *en cas où, au cas où, pour le cas où, dans le cas où*.

Cependant le complément circonstanciel lui-même, nécessairement alourdi par la spécification lexicale, tend à se former en catégories qu'on devrait laisser se grammaticaliser, sans en freiner le procès comme on le fait trop souvent, sous le prétexte fallacieux de la valeur étymologique.

Ainsi la multiplication des moyens de transport tend à créer un signe générique qui cherche plus ou moins obscurément à se formuler ; mais ce morphème est englué dans une opposition sémantique, autrefois nettement réalisée, et dont, la subtilité des grammairiens aidant, la langue n'arrive pas à se dépêtrer. A l'origine, en effet, on opposait *monter, aller à cheval* et *monter, aller en voiture*. On continue à discuter de savoir s'il faut dire *aller à* ou *en bicyclette*, et chaque nouveau moyen de locomotion engendre des trésors d'ingéniosité linguistique. Faut-il dire *aller en skis* ? mais les pieds sont simplement posés sur les skis ; à moins qu'il ne s'agisse de skis nautiques où la chaussure fait partie du support !

C'est ce dynamisme sémantique, naturel et nécessaire dans son principe, qui crée la langue ; mais il est indispensable qu'il s'allège et se détende — qu'on le laisse se détendre — pour abandonner la marque à l'inertie du système grammatical. Trop nombreuses et trop lourdes, les prépositions circonstancielles forment jusqu'ici un ensemble amorphe dont les catégories essentielles sont masquées par le syncrétisme et la polyvalence.

III. — La forme : 2° les accords

Les relations intrinsèques — sujet-prédicat, substantif-épithète — sont marquées par l'accord des modalités (genre, nombre, personne).

Comme les rections, les accords se combinent avec l'amalgamation et la séquence. En fait, c'est un des traits fondamentaux du français que l'accord n'y est qu'une survivance, maintenue par l'action arbitraire des grammairiens. Il survit et sévit surtout dans l'orthographe et n'existe qu'à l'état de vestiges dans la langue parlée.

L'accord se fait entre le sujet et le verbe d'une part, d'autre part entre le substantif et l'adjectif qualificatif.

La désinence du pluriel, en dehors des liaisons, a cessé d'être sentie à la fois dans les noms, les adjectifs et les verbes : *un oiseau-des oiseaux, il chante-ils chante(nt), il chantait-ils chantaie(nt)*.

Dans la plupart des verbes les personnes verbales sont de même confondues aux principaux temps : *je chante, tu chante(s), il chante, je chantais, tu chantais, il chantait*, etc.

Le genre, enfin, a cessé d'être marqué dans l'adjectif, tout d'abord parce que beaucoup d'entre eux n'ont jamais eu qu'une forme unique (*rouge, svelte*, etc.) et que, par ailleurs, l'effacement de l'*e* atone confond désormais *noir* et *noir(e)*.

Il n'y a plus que des vestiges d'accord rattachés soit à des liaisons, soit à des formes irrégulières ; alternances de nombre du type *brutal-brutaux*, ou de genre du type *vert-verte*. L'accord n'a plus guère de fonction syntaxique en français moderne où la relation entre le verbe et son sujet, entre le substantif et son adjectif n'est plus marquée que par la cohésion et la séquence.

L'accord n'est que la survivance d'un état archaïque, d'où l'arbitraire et la tyrannie des règles d'accord.

IV. — La forme : 3º séquence et cohésion, mise en relief

A l'accord le français moderne a substitué la séquence ou ordre des termes dans la chaîne parlée, et la cohésion ou union plus ou moins étroite des termes associés ; cohésion qui tend à l'amalgamation, comme dans la fusion de la racine et des morphèmes de modalisation dans le mot.

La séquence, en français moderne, est rigoureuse, le déterminant vient après le déterminé, c'est ce qu'on appelle la séquence progressive caractéristique de notre langue (cf. *infra*, p. 116). D'abord vient le sujet, puis le verbe, puis le complément, enfin les circonstances ; entre ces termes se placent les déterminations propres à chacun.

Ces couples, d'autre part, sont unis en un syntagme cohérent dont les limites sont marquées par les pauses de la langue parlée et par la ponctuation de la langue écrite. Les pauses (et la ponctuation) ont une fonction démarcative, elles identifient les limites du syntagme et son degré de cohésion et d'autonomie.

L'énoncé est ainsi constitué de segments délimités par des pauses plus ou moins longues ; l'affaiblissement de la pause, accompagné, le cas échéant, d'une liaison, marque une relation étroite entre les signes et inversement.

La pause est combinée avec un accent — soit de quantité ou d'intensité — qui tombe uniformément, en français, sur la syllabe finale du syntagme ; ce rythme oxyton, à valeur démarcative, constitue le trait fondamental du français, et qui le distingue de la plupart des autres langues (cf. *infra*, p. 118). Pauses et accents définissent les limites du syntagme, et donc la relation entre les signes, et il n'est pas douteux que la normalisation et l'apprentissage scolaires de la ponctuation seraient beaucoup plus importants que ceux d'un accord orthographique vide et dépourvu de fonction.

Etant donné qu'un même signe peut entrer dans plusieurs combinaisons syntagmatiques, il y a une hiérarchie qui fait que le syntagme le moins cohérent s'ouvre pour permettre l'insertion d'une relation plus étroite ; ainsi on dit : *le maître corrige l'élève*, et *le maître d'école corrige sévèrement l'élève* ; le qualificatif (sévèrement) est dans un rapport plus étroit avec le verbe que son objet (l'élève).

Par ailleurs, la relation à l'intérieur du syntagme ainsi délimité dépend de l'ordre des termes, le déterminant comme on l'a dit, suivant le déterminé.

Comme le relève Rivarol, dans son célèbre essai, la rigueur de cette séquence progressive contribue à la clarté du français qui énonce d'abord la chose dont on parle, puis ses attributs en allant de l'essentiel à l'accidentel.

Ainsi le complément de relation et l'épithète peuvent venir en première ou en seconde position selon qu'ils sont conçus comme essentiels ou secondaires : *le chien noir du fermier* et *la maîtresse d'école rousse.*

Il peut y avoir une ambiguïté résolue par la cohésion prosodique qui permet de distinguer *une maîtresse d'école — normale* ou *une maîtresse — d'école normale* ; de même la liaison permet d'opposer *des marchands de vins — italiens* et *des marchands — de vins italiens.* Mais ce ne sont là que des déficits accidentels du système.

L'énoncé est constitué par une suite de segments prosodiques qui délimitent autant de syntagmes ; l'ordre des termes définit la relation à l'intérieur de chaque syntagme et l'ordre des syntagmes la relation entre les syntagmes. Il y a un ordre logique et un rythme logique — c'est-à-dire normaux — liant l'énoncé dans le tout qui forme la proposition. Toute variation de cette norme, prosodique ou séquentielle, constitue un déplacement de la relation syntaxique normale, qui fait qu'un signe normalement secondaire peut prendre valeur de terme principal ; c'est ce qu'on appelle *la mise en relief*, qui peut être simplement intellective ou affective (cf. *infra*, p. 100).

Elle repose sur trois types de marques : l'inversion séquentielle, la disjonction prosodique, l'emploi de morphèmes spéciaux.

Ainsi je constate que : *ta sœur est belle* ; et je puis mettre en relief cette beauté en disant :
— *ta sœur — elle est belle* (disjonction du prédicat) ;
— *elle est belle, ta sœur* (inversion du prédicat).

On peut aussi mettre un terme en relief pour lui conférer une valeur adversative (ta sœur et non pas une autre) : *c'est ta sœur qui est belle* ; *ta sœur, elle, est belle*, etc. On voit que l'ensemble de ces procédés se combinent, avec, en outre, l'emphase exclamative dont il sera question plus bas : *ta sœur est — bélle* (fort accent tonique sur le mot mis en relief).

Le sujet ou l'objet ne peuvent être inversés qu'avec rappel d'un pronom, la séquence sujet-verbe-objet étant grammaticalisée : *il est parti, ton frère* ; *ton frère je le connais*.

Mais le pronom peut aussi jouer le rôle d'un simple disjoncteur de mise en relief sans inversion séquentielle : *ton frère, il est parti, je le connais, ton frère*. Dans ces phrases *ton frère* n'est plus en fonction de sujet ou d'objet, ce qui lui confère une valeur spécifique.

Le complément circonstanciel peut être aussi mis en relief par inversion ; mais du fait de sa plus grande autonomie, le déplacement de la séquence n'a souvent qu'une faible valeur ; entre *je viendrai demain* et *demain je viendrai*, la nuance est faible si elle n'est pas appuyée sur l'accent tonique ou sur la disjonction prosodique.

Mais : *dans mon bureau — je travaille*, met bien en relief la circonstance locale et lui confère une valeur adversative qui, selon l'accent, peut porter sur le lieu ou sur l'action : *dans mon bureau je travaille* (et je ne fais pas autre chose). Le morphème de mise en relief, avec ou sans inversion, peut exprimer les mêmes nuances : *c'est dans mon bureau que je travaille* ; *où je travaille c'est dans mon bureau*.

Dans la langue parlée l'accent tonique est un facteur important de la mise en relief qui peut porter sur un signe non accentué, la préposition par exemple : *je travaille — dáns mon bureau* (et non pas devant, hors de).

Parfois c'est la relation elle-même qui est mise en relief, ainsi dans : *il est entré, il est ressorti*, l'absence de ligament met les deux termes dans un rapport très étroit ; l'entrée et la sortie ne font qu'un seul syntagme, qu'une seule chose et un seul mot. Dans *il est entré et sorti*, c'est la communauté des morphèmes qui fait un même verbe des deux radicaux.

Enfin c'est la proposition tout entière qui peut être disjointe et segmentée selon des hiérarchies qui bouleversent les liaisons syntaxiques normales. Ainsi : *le gigot, dans la cuisine, il l'a emporté, le chien*, met en relief non pas un des termes, mais la structure de l'énoncé et de la situation qu'il exprime.

Mais ceci est déjà du domaine de la mise en relief affective (cf. *infra*, p. 100) ; ce qu'il fallait montrer ici, c'est le mécanisme qui permet, par inversion de la séquence, par disjonction du rythme démarcatif, par adjonction d'un morphème spécial, de modifier la hiérarchie syntaxique en donnant à un signe secondaire une valeur de signe principal.

V. — La transposition

Un signe ne peut entrer dans une relation que pourvu des marques de modalités qui définissent la forme (et la valeur) du syntagme ; ce dernier est un rapport entre des mots, c'est-à-dire des signes modalisés ; ces modalisations définissent les diverses catégories de mots aptes à assumer les fonctions propres à chacune.

Ainsi un substantif est un mot qui porte les marques du genre, du nombre, de l'actualisation nominale et qui peut être sujet, objet, complément adverbial, etc.

On a l'habitude de dire que *chien*, *livre* ou *tulipe*

sont des substantifs ; mais seuls *les chiens*, *la tulipe*, *mon livre* sont des substantifs, car le substantif est un radical pourvu des marques de la substantivation.

Certains radicaux peuvent entrer dans une relation substantive, adjective, verbale, adverbiale... ; ainsi on peut dire *un citron*, *une étoffe citron* et, à la rigueur, *je citronne mon thé*.

Une langue entièrement libre pourrait faire entrer n'importe quel radical dans n'importe quel type de mot ; mais la liberté des différents idiomes varie grandement sur ce point.

Le sens du signe, en effet, l'oriente vers des relations privilégiées aux dépens des autres qui peuvent lui être interdites ; dans la mesure où le sujet est sémantiquement l'effecteur d'une action, et morphologiquement un substantif, toutes les racines désignant des êtres vivants sont constamment substantivées par le discours et nous disons que *chien* est un substantif ; il finit ainsi par se former des catégories de radicaux à vocation syntaxique qui correspondent à des catégories de sens.

Mais ces catégories sont facilement transcendées par le discours ; on sait qu'on dit *une robe orange*, *le bleu du ciel*, *un va-et-vient*, *le pourquoi de la chose*, etc.

Toutes les grammaires mentionnent ces faits, encore que très peu reconnaissent leur importance et leur véritable nature. Bailly, dans sa *Linguistique générale et linguistique française*, les a très justement décrits sous le nom de transposition ; et Lucien Tesnière dans le récent *Eléments de syntaxe structurale* y reconnaît un phénomène général et un des moyens fondamentaux de la syntaxe ; il lui consacre plus de 300 pages et la moitié de son livre, sous le nom de *translation*.

La transposition (ou translation) est, au plein

sens du terme, ce que j'aimerais appeler une *métaphore grammaticale* ; c'est, en effet, un changement de l'assiette ordinaire d'un radical qui lui permet d'entrer dans des relations différentes de celles que l'usage lui confère normalement.

Dans sa nature, dans son mécanisme, ce transfert de modalités et de relations ne diffère en rien du trope lexical ; en fait les deux procédés sont souvent combinés : dans *une robe citron*, il y a sémantiquement une synecdoque, le tout (citron) étant pris pour une de ses parties (sa couleur).

En français, la transposition repose ordinairement sur la dérivation : *un cheval > chevalin, e, une fête > je festoye, la flamme > il enflamme, grand, e > il grandit*.

Mais on sait qu'elle peut être aussi immédiate : *bleu, e > le bleu, la rose > rose*, etc. ; de ce type relèvent : *je chante > un chant, du beurre > je beurre*.

On compare souvent l'anglais et le français à cet égard, en voyant chez le premier une liberté syntaxique déniée au second. Mais entre *butter > I butter* et *du beurre > je beurre*, entre *I stop > a stop* et *j'arrête > un arrêt*, il n'y a aucune différence morphologique. L'illusion tient à ce qu'on compare généralement les formes de l'infinitif *to butter* et *beurrer*, pour voir deux « mots » dans le premier cas et un seul dans le second.

La différence est dans l'usage qui est très libre en anglais, alors que le français — par une tradition qui remonte au classicisme — contrôle, filtre et rejette les créations individuelles ou ne les accepte qu'après un stage au cours duquel elles se généralisent et se figent.

Toutes les catégories peuvent ainsi échanger leur assiette : le nom est pris comme adjectif et on dit : *des gants paille, un air vache, des façons peuple, un pâté maison*, et dans la langue populaire, plus libre, *une histoire farce, il est resté chocolat*, etc.

Il est remarquable qu'on ne fait pas l'accord en genre et en nombre, modalités pourtant essentielles à l'adjectif ; c'est que le mot est à cheval sur les deux catégories ; mais la transposition peut devenir complète et on dit alors : *un ruban violet, des balais roses* et même, *elle est restée chocolate*.

Dans certaines de ces constructions toutefois, il semble que le substantif reste senti comme un complément de relation (*un pâté maison* = un pâté de la maison) ?

Réciproquement l'adjectif est pris comme nom : *le beau, le vrai*, etc.

Le verbe fait fonction de nom et d'adjectif sous l'espèce de ses formes nominales, infinitif et participe : *le rire, le dîner*, etc., *un écrit, une poussée, le présent*, etc. ; *enchanté, charmant*, etc.

Le mécanisme de la transposition se complique lorsqu'on passe du nom à l'adjectif par l'intermédaire du verbe : *la ruse > ruser > rusé* ; sur quoi on a formé directement par analogie *tigré, saumonné*, etc.

Comme on vient de le dire on peut aussi nominaliser directement le radical verbal : *un chant, un pas, une passe, un saut, une saute*.

Inversement l'adjectif et le nom prennent des formes verbales *poivrer, limer, griser*.

Par suppression de leur assiette, le nom et l'adjectif passent dans les catégories non modalisées : adverbe, préposition, conjonction.

La transposition de l'adjectif donne des adverbes d'inhérence : *parler haut, bas, fort* ; celle de substantifs régis ou de participes, des adverbes de relation : *aujourd'hui, avec plaisir, ci-inclus*, etc. ; les limites, d'ailleurs, entre le complément circonstanciel et l'adverbe sont difficiles à établir, sinon que la forme adverbiale n'a pas d'assiette (pas d'article, de genre, ni de nombre).

De même les prépositions et les conjonctions sont des noms : *question pognon, côté famille* ; formées sur des adjectifs ou des participes : *vu ton attitude* (= ton attitude étant vue).

Adverbes, prépositions et conjonctions peuvent être, dans une certaine mesure, nominalisés ou verbalisés : *l'endemain, le pour et le contre*, etc.

Tout ceci constitue un transfert de catégorie. Mais il peut y avoir, en outre, translation au sein d'une même catégorie, ce qui suppose, évidemment, l'existence de sous-catégories liées à des modifications de l'assiette générique.

Le cas le plus frappant est celui du substantif. La grammaire traditionnelle voit des figures de rhétorique dans les synecdoques et métonymies qui consistent à prendre le contenant pour le contenu *(un verre de vin)*, le lieu pour le produit *(du bordeaux)*, le nom propre pour un nom commun *(un tartuffe)*, le concret pour l'abstrait, l'effet pour la cause, le pluriel pour le singulier, etc.

Il s'agit, en fait, de transposition d'assiette au sein de la catégorie nominale ; cette assiette, en effet, est définie par le nombre qui oppose le singulier au pluriel ; mais la nature de certains noms refuse cette distinction. Il y a en effet, trois grandes sous-catégories de substantifs : les individus numérables *(des pommes, des enfants)*, les substances quantifiables mais non numérables *(un peu de vin, beaucoup de coton)*, les noms propres non quantifiables *(Durand, le soleil)*. Chacun a son assiette numérale, et comme, en français, par ailleurs, la marque de numéralité est venue cumuler avec la détermination, il est résulté une situation complexe, mais originale et riche en possibilités de transposition sémantique ou stylistique. J'ai traité ailleurs ce problème (cf. ma *Grammaire*, p. 93 et ss.).

La transposition : *du verre* > *des verres*, passe d'une substance à des objets ; il en est de même dans *Picasso* > *des picassos*, et c'est, comme toujours, le contexte lexical qui spécifie la nature de cette nouvelle relation que le transfert grammatical actualise. Lorsque le guide constate qu' « il y a de l'Américain en ce moment », il transfère les touristes dans la catégorie des substances amorphes et commercialisées.

On peut, de même, transposer les sous-catégories du verbe ; le transitif et l'intransitif échangent ainsi leurs relations : *on mange, on boit* ou, au contraire, *on pleure quelqu'un, on court le 100 mètres*.

Loin d'être un phénomène isolé, la transposition est un des procédés fondamentaux de la syntaxe. On montrera dans un instant que la structure de la phrase complexe repose entièrement sur ce procédé, et que les propositions subordonnées ne sont pas autre chose que des syntagmes transposés.

L'antéposition de l'adjectif n'est peut-être qu'un fait de transposition entre deux catégories d'adjectifs, spécifiques et génériques (cf. *infra*, p. 109).

Chapitre IV

LA PHRASE

La proposition avec le sujet, son prédicat et leurs déterminants éventuels, peut constituer un énoncé complet : *le soleil brille, mon père est dans la cour*, etc.; elle est dite alors proposition indépendante et constitue une phrase.

Mais la phrase — ou énoncé complet dont chacun des termes est en relation avec un ou plusieurs des autres termes de l'ensemble — peut être constituée de plusieurs propositions qui sont entre elles dans un rapport syntaxique.

Ce rapport — comme celui des mots dans la proposition — est, soit une relation de coordination, soit une relation de subordination ; la phrase complexe est composée d'une proposition principale et de propositions subordonnées qui la déterminent ; ces subordonnées elles-mêmes pouvant être déterminées par des subordonnées secondaires.

I. — Les classifications

Toutes les grammaires décrivent et classent les subordonnées (et coordonnées) sous une terminologie qui varie sans cesse.

Le *Précis de syntaxe...* de Wartburg et Zumthor, conscient de ces divergences, propose une classification en trois espèces sous une double terminologie :
— les substantives ou complétives ;
— les adverbiales ou circonstancielles ;
— les adjectives ou relatives.

Les substantives ou complétives font fonction de complément d'objet ou de sujet : *j'attends qu'il vienne* (objet) ; *qu'il eût raison ne faisait aucun doute* (sujet). Mais le terme de *complétive* ne convient pas à la fonction sujet ; c'est pourquoi certains auteurs disent *substantives* en considérant que ces propositions tiennent la place d'un nom ; mais c'est le cas aussi des circonstancielles.

Les circonstancielles ou adverbiales sont assimilables à des compléments circonstanciels (ou à des adverbes) : *je partirai quand tu voudras, il est parti en courant, il est parti pour aller voir son frère* ; qui mériteraient le nom de substantives selon le critère précédent.

Les relatives ou adjectives sont assimilables à des adjectifs mais on doit englober dans cette catégorie à la fois les relatives proprement dites et les participiales.

On voit que ces définitions sont fondées les unes sur la fonction (complétives, circonstancielles) ; les autres sur la catégorie syntaxique à laquelle est assimilée la proposition (substantives, adverbiales, adjectives) ; d'autres sur le mode de liaison (relatives).

D'autres grammaires distinguent aussi les conjonctives, introduites par une conjonction (mode de liaison) : *je désire que tu viennes* ; les infinitives et les participes, d'après la catégorie à laquelle appartient la proposition : *j'espère venir demain* (infinitive).

On confond quatre critères distincts :
— la fonction : sujet, objet, compléments divers ;
— la forme de la relation : conjonction, pronom relatif, rection ;
— la catégorie primaire de la proposition : infinitive, participe ;
— la catégorie secondaire à laquelle elle est assimilée : substantive, adjective.

L'écueil des terminologies, y compris les plus sérieuses et les plus réfléchies, est dans le mélange des différents critères. C'est là une des plaies de la grammaire (1).

Les faits en cause sont nombreux, complexes et d'une grande variété tant qu'on les considère sous l'angle des effets de sens ; d'un point de vue structural et fonctionnel ils sont très simples : *la proposition subordonnée (ou coordonnée) est un syntagme qui remplit dans la phrase toutes les fonctions que remplit le mot dans la proposition indépendante. Elle doit donc porter les marques de modalité et de relation qui permettent à chaque catégorie de mots d'entrer dans une combinaison syntagmatique donnée.*

Il apparaît alors que la subordination n'est qu'une forme de la transposition, *supra*, p. 69, c'est-à-dire l'opération qui, en affectant une catégorie grammaticale des marques d'une autre catégorie, lui permet d'en assumer les valeurs et les fonctions ; ainsi lorsque d'un adjectif ou d'un verbe je fais un substantif, en les marquant des modalités de l'assiette nominale *(le bleu, le chant)*, ces formes peuvent être employées comme sujet ou dans toute autre fonction propre au nom.

C'est très exactement là le caractère fondamental des subordonnées ; la proposition, qui est verbale — car c'est le verbe qui est le nœud de la proposition prédicative et le signe qui attribue le prédicat au sujet en les reliant —, la proposition verbale est transposée dans la catégorie du substantif, de l'adjectif ou de l'adverbe (mais l'adverbe n'est qu'un substantif régi).

De ce point de vue il y a donc deux catégories de subordonnées : les substantives et les adjectives.

Les substantives peuvent prendre les fonctions du

---

(1) Voyez par exemple : substantif (critère sémantique), conjonction (critère fonctionnel), préposition (critère formel).

substantif — toutes les fonctions du substantif (sujet, attribut, objet, compléments circonstanciel et de relation) ; les adjectives prennent les fonctions de l'adjectif, c'est-à-dire qu'elles déterminent le nom.

Du point de vue formel chaque catégorie doit porter la marque des modalités qui l'identifient et les ligaments qui assurent ses relations. Or ces marques sont les mêmes que celles de la proposition (accords, séquences, rections directes ou prépositives).

La forme de la transposition constitue le troisième critère ; elle est double, et systématique dans les deux cas ; d'une part on procède par nominalisation du verbe, l'infinitif assumant la fonction du substantif et le participe celle d'un adjectif ; d'autre part on peut nominaliser l'ensemble de la proposition en l'introduisant par une conjonction ; et là encore on distingue la conjonction à valeur substantive, la conjonction proprement dite (*que*, *quand*, *comme*, etc.) et la conjonction à valeur adjective ou pronom relatif.

Les deux procédés — transposition du verbe ou celle de la proposition — sont exactement parallèles et remplissent les mêmes fonctions ; mais le premier prive le verbe de son assiette, l'infinitif et le participe n'étant pas marqués en personne, en temps ou en modes (car ce ne sont pas des modes) ; la conjonctive et la relative, en revanche, conservent ces modalités, mais elles n'ont qu'une assiette nominale réduite.

La subordination, en effet, repose sur une transposition partielle ; la subordonnée sacrifie une partie plus ou moins importante de ses modalités et de ses fonctions d'origine, qui sont celles du verbe, et acquiert une partie des modalités et des fonctions de la catégorie transposante (substantif ou adjectif).

On a donc des propositions qui ont gardé leur assiette verbale et celles qui ont été nominalisées, chaque catégorie pouvant assumer les fonctions du substantif ou de l'adjectif, selon le schéma suivant :

	Substantives	Adjectives
Verbales	Conjonctives	Relatives
Nominales	Infinitives	Participiales

II. — Les propositions substantives

Les subordonnées substantives peuvent prendre toutes les fonctions du substantif et dans chaque cas peuvent être soit conjonctives soit infinitives (ou gérondives).

Voici des exemples de chacune de ces formes :

Sujet : *que vous partiez ne vous servira à rien ; il ne servira à rien que vous partiez ; (de) partir ne vous servira à rien ; il ne vous servira à rien de partir.*

Attribut : *mon désir est que vous partiez ; mon désir est de partir.*

Objet : *je désire que vous partiez ; je désire (de) partir.*

Circonstanciel : *j'ouvre la porte pour que vous partiez ; j'ouvre la porte pour partir.*

Complément de relation : *je brûle du désir de partir ; je brûle du désir que vous partiez.*

On voit que toutes ces formes sont assimilables à un nom : *mon départ, votre départ* ; nom marqué en personnes puisque c'est là une modalité du verbe. Mais alors que cette modalité est portée par le verbe de la conjonctive qui a conservé son assiette, l'infinitive, qui n'a pas de personne propre, doit nécessairement prendre celle du verbe principal ; d'où l'origine de l'alternance : *je désire partir-que vous partiez.*

L'infinitif est à cheval sur le verbe et sur le substantif et il ne peut devenir un substantif complet qu'en abandonnant entièrement son assiette verbale ; des mots comme *le rire, le manger* qui ont une parfaite autonomie nominale ne peuvent plus recevoir un complément d'objet.

Il n'en était pas de même en ancien français où l'infinitif reçoit toutes les marques du nom (article, genre, cas) tout en gardant son complément : *mais au passer dou pont illec lor mescheï. Pensez del bien escorre.*

Dans l'usage moderne l'infinitif sujet, attribut, objet est très souvent construit avec *de* ; étant donné qu'il n'y a pas de rection dans les deux premiers cas et rection zéro dans le troisième, on ne peut considérer ce *de* comme une préposition. Il faut y voir — comme on l'a dit plus haut (cf. p. 61) — un signe de la nominalisation du verbe.

Or *que* a la même fonction dans la proposition sujet ou attribut qui ne sont pas des termes subordonnés ; c'est au contraire l'absence de rection et la séquence qui les identifient : le sujet est le substantif non régi placé avant le nom ou rappelé par un pronom anaphorique lorsqu'il est rejeté après : *ton frère est là-il est là, ton frère.*

Or, c'est précisément la construction de la conjonctive sujet ou objet : *que tu partes est impossible-il est impossible que tu partes ; je désire que tu partes-que tu partes c'est ce que je désire, je le désire* (1).

---

(1) On sait que l'anglais « omet » la conjonction dans ce cas : *I wish you come.* L'ancien français connaît aussi cette construction: *sachiez ne l'oseroie fere.*

La symétrie entre la construction du substantif et celle de la conjonctive est complète.

Dans les formes à régime indirect, c'est la même préposition qui introduit l'un et l'autre : *pour ton départ-pour que tu partes* ; *avant son départ-avant qu'il parte*, à quoi répondent *pour partir-avant de partir*.

Dans toutes ces constructions la liaison — c'est-à-dire la subordination — est uniformément assurée par une préposition qui introduit soit un substantif marqué d'un déterminant (le, mon, ce, etc.), soit un infinitif nominalisé par *de*, soit une proposition nominalisée par *que* ; *que, de* n'étant ici que des indices de la transposition nominale.

La description et le classement que donnent les grammaires des innombrables locutions prépositives et conjonctives sont entièrement inadéquats.

Ainsi *avant de* n'est pas une locution prépositive puisqu'elle ne saurait introduire aucun substantif, et qu'on dit *avant de partir, avant que tu partes*, sur le modèle de *avant ton départ*.

Avant que, de même, n'est pas une locution conjonctive, mais une préposition bloquée avec l'indice *que*, ou si on préfère les locutions conjonctives sont des prépositions qui régissent, et par conséquent subordonnent, des propositions nominalisées ; mais ces prépositions sont les mêmes que celles qui régissent le mot dans la proposition.

Il est vrai, cependant, qu'on a en français des morphèmes qui méritent le nom de conjonction ; ce sont : *quand, comme, si*. Ici on a des formes qui cumulent les valeurs de transposition et de rection. Nous en avons hérité du latin qui en présente un riche éventail : objet *(ut, ne...)* temps *(cum, ubi...)*, cause *(quia, quoniam...)*, but *(ut, ne...)*, concession *(etsi, quamquam)*, comparaison *(quam, sicut...)*, conséquence *(ut, ita ut...)*, condition *(si, velutsi...)*.

Mais nous n'en avons conservé que trois *(comme, si, quand)* et toutes les autres valeurs ont été décumulées par disjonction de la marque rective et d'une marque unique de transposition, la conjonction *que*. *Quand* et *comme* sont d'ailleurs concurrencés par des formes décumulées ; *lorsque, vu que, parce que*, etc. ; il n'y a que *si* qui résiste, mais l'usage populaire dit volontiers : *si que (si qu'on partait)* et *quand que, comme que (quand qu'il est venu, il a dit...)*. On retrouvera ce phénomène à propos du relatif.

Il n'est donc peut-être pas exact de parler de conjonctives : il y a des substantives, par nominalisation du verbe (infinitives) (1) et par nominalisation de l'énoncé sans altération de l'assiette verbale. Etymologiquement la proposition ainsi transposée est un neutre et l'ancien français fait précéder la subordonnée du pronom démonstratif *ce* :

> *Traveillez les ot et lassez*
> *Ce qu'il orent petit dormi*

fatigués et lassés les a *le fait* qu'il avaient peu dormi.

Notre conjonction *que* a son origine dans un relatif (cf. *parce que*).

III. — Les propositions adjectives

En fonction d'adjectif, c'est-à-dire de déterminant du nom, on distingue les participiales et les relatives.

Le participe (présent ou passé) peut assumer la fonction d'un pur adjectif *(le temps passé, un soleil*

---

(1) Mentionnons pour mémoire le gérondif *(en courant à travers champs)*, à ne pas confondre avec le participe présent adjectivé. C'est une forme nominale du verbe mais d'une très faible autonomie puisqu'elle n'a qu'une seule fonction, le régime prépositionnel *en*. Sous sa forme nominale pleine, le participe présent (le courant) se lexicalise et perd entièrement son assiette verbale.

brillant) ; mais il peut en même temps, garder une partie de ses modalités et relations verbales (1).

Les grammaires énumèrent les différentes **valeurs** du participe ainsi construit :

— temporelle : *nous l'avons trouvé, travaillant d'arrache-pied* ;
— causale : *n'ayant rien à perdre, il a tout à gagner* ;
— concessive : *vous sachant coupable, vous persistez à nier.*

Mais ces effets de sens dérivent des valeurs lexicales ; le participe présent n'exprime pas autre chose qu'un état (ou un acte) attribué à un substantif et contemporain de l'acte principal : « vous persistez à nier et vous vous savez coupable » ; le rapport de concession est lié ici au contexte lexical.

Il en est de même du participe passé passif, mais avec des emplois qui résultent de l'ambiguïté de ce temps en français où : *votre fils est mal élevé* peut exprimer soit un état résultant d'une action passée (vous l'avez mal élevé), soit un état résultant d'une action présente (vous êtes en train de mal l'élever). La nuance qui tient au contexte, ce qui, on l'a dit, est le propre de toute relation syntagmatique (cf. p. 13), et plus le syntagme est complexe, plus l'effet de ces valeurs de lexique se fait sentir. C'est pourquoi l'analyse des différents types de phrases se complique à l'infini si on prend les effets de sens pour critère comme le font les grammaires.

La relative détermine le nom — elle a donc une fonction d'adjectif ; *le chien qui aboie dans la cour* (le chien aboyant dans la cour), le relatif *qui* adjectivise le verbe sans troubler son assiette.

La relative est à la participe ce que la conjonctive

---

(1) D'où la règle du participe-adjectif accordé *(une robe flottante)* et du participe-verbe invariable *(une voile flottant au vent).*

est à l'infinitive. On a vu, d'ailleurs, que la conjonction *que* est étymologiquement un pronom relatif neutre.

La relative, en effet, est introduite par un pronom (un représentant du nom) ; ce pronom est un très ancien héritage et cumule des fonctions complexes. Il combine une particule de relation avec un pronom démonstratif ; le latin a un système très homogène avec trois genres (masculin, féminin, neutre) qui comportent chacun cinq cas avec des formes pour le singulier et pour le pluriel (trente formes en comptant les homophones). Ce pronom est à cheval sur les deux propositions reliées. En genre et en nombre il s'accorde avec le nom qu'il détermine dans la principale ; en cas il transfère ce nom dans la subordonnée en spécifiant sa fonction (sujet, objet, etc.).

L'évolution phonétique et morphologique n'a laissé en français que des lambeaux de ce système : il a perdu l'opposition de nombre ; le féminin et le masculin se sont confondus, mais ils sont restés opposés à un neutre, toutefois l'opposition n'est réalisée qu'à un seul des quatre cas.

On a ainsi :

Masc.-fém.	Neutre	
Qui	(Qui)	Sujet.
Que	(Que)	Régime direct.
A qui	A quoi	Régime indirect.
Dont	(Dont)	Complément de relation.

Première conséquence, le relatif en perdant la majeure partie de ses possibilités d'accord s'est amalgamé avec le nom (son antécédent).

Deuxième conséquence, l'opposition *à qui-à quoi* est complètement isolée ; d'où les errements bien connus dans l'emploi du neutre, et sa déchéance.

Troisième conséquence, l'absence de marque personnelle entraîne des hésitations dans l'accord du verbe subordonné *(nous sommes des gens qui aimons* ou *qui aiment).*

Le système altéré dès l'époque classique est en pleine transformation.

Isolé, *quoi* a d'abord subi la pression de l'usage qui a refusé la liaison d'un neutre avec un antécédent nécessairement masculin ou féminin ; et la forme n'a survécu que dans les tours *ce à quoi, c'est pourquoi.*

Mais un long usage répugnait à confondre *l'homme, la femme à qui* et *l'animal, la chose à quoi* et on a tourné la difficulté en généralisant l'emploi d'une forme adjective du relatif, *lequel,* forme marquée en genre et en nombre, ce qui va introduire cette opposition jusqu'ici absente du système ; on commence par dire *le chien auquel, la rose à laquelle* ; puis *l'homme auquel, la femme à laquelle* ; ensuite c'est le tour de *dont (le livre duquel, la chaise de laquelle).*

Ce tour, par ailleurs, réalise le décumul de *dont.* Or, cette disjonction des marques synthétiques est un des traits fondamentaux du français ; la langue populaire a poursuivi très loin le décumul du relatif ; elle dit :

— *l'homme qu'il est venu ;*
— *l'homme que je l'ai vu ;*
— *l'homme que je suis venu avec.*

L'élément pronominal retrouve sa place dans la subordonnée et *que* se dégage comme un morphème de relation homogène.

Dans cette perspective s'éclairent ces curieux emplois populaires dont on s'amuse, *l'homme dont auquel j'ai parlé,* par exemple. Le décumul *dont > duquel* ne satisfait pas l'instinct analogique qui exige la particule de relation en tête de la subordonnée et faute de savoir placer *que* le locuteur garde *dont* comme un ligament qu'il fait suivre du pronom régi : sur le modèle *l'homme que je l'ai vu*, il construit *l'homme dont duquel (ou auquel) je parle*.

IV. — Concordances des temps et rections modales

En subordonnée le verbe de la principale régit le mode du verbe subordonné. Mais cette relation est beaucoup plus lexicale que grammaticale ; c'est en effet le sens du verbe principal qui conditionne le mode régi et qui l'impose sans possibilité d'opposition (1).

Il s'agit d'une rection du type de celle *aller à-venir de* dans laquelle la relation entre le signe recteur et son régime est sémantisée.

Ici, ce n'est plus le morphème de liaison qui sémantise la relation, mais la relation qui sémantise le morphème.

C'est ce qui caractérise *la contrainte* grammaticale en face de *l'opposition* : toute forme opposable est « porteuse » de sens, créatrice de sens ; toute forme contrainte (non opposable) n'apporte rien sémantiquement.

L'énoncé d'un ordre, désir, volonté, condition, question, négation, s'exerce sur un objet non actualisé ; c'est pourquoi ces verbes et ces constructions régissent volontiers un substantif indéterminé et sans article (cf. p. 50) ; et on oppose *dire un mot* et *ne dire mot*, locution qui nous est restée. C'est la raison pour laquelle des verbes régissent le subjonctif, mode de l'action virtuelle. La langue, d'ailleurs, a constamment hésité au cours de son histoire : l'ancien

---

(1) Dans une opposition du type : *il disait que tu viendrais /que tu viennes*, le sens du verbe *dire* est différent dans les deux cas.

français dit *j'ai cru que vous fussiez de bonne foi.*

Le français moderne construit *croire* avec l'indicatif, mais sous la forme négative il hésite entre : *je ne crois pas qu'il vienne ou qu'il viendra.*

Cette ambiguïté est d'ailleurs de plus en plus tournée par l'adoption d'une subordonnée infinitive : *je ne sais que faire, il voulait dire,* etc., qui montre bien que le mode n'est pas ici une marque syntagmatiquement pertinente.

Tel est aussi le cas de la concordance des temps qui est la forme d'un accord imposé par la logique beaucoup plus que par la syntaxe.

Le temps de la subordonnée a, en français, une valeur propre : *je sais qu'il était là, qu'il est là, qu'il sera là,* etc. Il y a un temps relatif, en perspective, dépendant de celui de la principale : *je savais qu'il avait été là, qu'il était là, qu'il serait là...*

Mais il ne s'agit pas, au sens propre, d'une concordance des temps ; le problème cependant se pose lorsque la subordonnée est au subjonctif. On sait que cet accord, autrefois rigide, n'est qu'une survivance en français moderne (cf. ma *Grammaire*, p. 117 et ss.). Mais ce qu'il faut ajouter ici, c'est que le subjonctif, dans la mesure où il est un virtuel (cf. *supra*, p. 44), échappe à la notion de temps ; il ne faut donc pas s'étonner, encore une fois, de voir le français abandonner la concordance, et remplacer, par ailleurs, le subjonctif par la forme atemporelle de l'infinitif.

V. — La coordination

La coordination s'effectue soit par juxtaposition, soit au moyen d'un ligament syntaxique ou conjonction. On reparlera de la juxtaposition à propos de la syntaxe expressive.

Les conjonctions de coordination forment un système qui oppose des valeurs ajdonctives *(et, ni)*, disjonctives *(ou, mais)* et causales *(or, car)*.

La coordination peut s'effectuer aussi à l'aide d'adverbes de liaison : *ensuite, enfin, cependant, au reste, en revanche*, etc., qui introduisent dans la relation différentes valeurs : temps, conséquence, but, etc.

Ce ne sont pas des conjonctions mais des adverbes placés en tête de l'énoncé et qui lexicalisent la liaison ; d'ailleurs ils peuvent se déplacer à l'intérieur de la phrase : *Jeanne en revanche est restée...*, ou être précédés d'une conjonction : *mais en revanche, et cependant*, etc.

La coordination suppose l'identité grammaticale des termes coordonnés. L'ancienne langue était assez libre à cet égard et Saint-Simon écrit encore : *il lui demanda de venir et qu'il lui dirait...* Le français moderne, très strict sur ce point, refuse la coordination de termes comme : *il lui dit de venir et qu'il lui donnerait..., il aime la plaisanterie et de s'amuser*, qui ont la même fonction mais une forme différente ; il refuse aussi celle de termes ayant la même forme mais une fonction différente : *Ah, dit-il en riant et en portugais*, et exige l'identité de signes coordonnés, à la fois comme catégorie, modalités et fonctions.

VI. — Les types de phrase

La structure syntaxique (et lexicale) détermine le sens de la phrase ; mais celle-ci est marquée, d'autre part, de modalités qui expriment la façon dont le locuteur envisage et présente l'énoncé.

Ce dernier peut être déclaratif, interrogatif,

désidératif (postulé ou impératif) et dans chaque cas soit affirmatif, soit négatif :

	Positif	Négatif
Déclaratif....	Le chat est noir.	... n'est pas noir.
Interrogatif ..	Le chat est-il noir ?	... n'est-il pas noir ?
Désidératif ...	Puisse-t-il être noir !	... puisse-t-il n'être pas noir !
	Viens.	... ne viens pas.

On ne doit pas confondre l'énoncé postulé (optatif ou impératif) avec des phrases du type : *je souhaite, je désire, j'ordonne*, etc., *qu'il vienne* ; formellement ce sont des déclaratives dont les valeurs sont purement lexicales.

On remarquera enfin que dans notre tableau ne figurent pas les exclamatives ; c'est qu'elles n'entrent pas dans ce système d'oppositions : l'exclamation est un degré d'intensité que chacun des six types peut prendre. En fait la postulation est presque toujours exclamative, l'ordre l'est dans la majorité des cas, l'interrogation l'est très souvent et la déclaration quelquefois ; par ailleurs les formes négatives le sont plus souvent que les formes positives correspondantes. Comme on le montrera plus loin l'exclamation n'est qu'une forme intensive de la modalité sous la poussée d'une émotion, d'un sentiment plus ou moins vif.

Enfin, un dernier point, et très important, la place de l'impératif dont les grammairiens n'ont jamais su que faire : comme je le montrerai plus loin, il s'agit d'une forme qui n'appartient pas au système de la phrase prédicative.

a) *L'interrogation* requiert de l'interlocuteur une assertion relative à l'énoncé ou à quelqu'une de ses parties.

L'interrogation repose soit sur le ton, soit sur la

séquence, soit sur un morphème spécial ; le plus souvent sur une combinaison de ces trois marques.

L'interrogation normale — mais combien étrangère aux tendances et à la pratique de la langue moderne — est exprimée par l'inversion du sujet.

L'ancien français inverse aussi bien le substantif sujet que le pronom et dit : *est morte m'amie ?* (mon amie est-elle morte ?) ; il ignore aussi notre -*t*- euphonique : *Comment a ele nom ?*

L'évolution de cette marque est liée en français à la double tendance à la séquence progressive (cf. p. 116) et au rythme oxyton (cf. p. 118) qui refuse d'inverser le sujet et à plus forte raison lorsqu'il s'agit d'une forme non susceptible de recevoir l'accent tonique, ce qui est le cas du pronom *je*.

On sait combien la langue est embarrassée par des formes comme *viens-je ?* ou *chanté-je*, malgré le déplacement artificiel de l'accent — d'où la variante : *est-ce que je viens ?* A la troisième personne la finale accentuée est soutenue par la généralisation de -*t*- dit « euphonique » : *vient-il ?* > *joue-t-il ?* En même temps le substantif sujet reste à sa place avec rappel du pronom inversé : *Jeanne vient-elle ?*

A partir de là, la langue populaire, à la recherche de la séquence normale et d'un morphème homogène, a créé la désinence -*ti* : *je viens-ti ? tu viens-ti ?*, etc.

Parallèlement, une autre solution s'est dégagée, qui généralise l'emploi du morphème de mise en relief : *est-ce que...* : *est-ce que tu viens ?*, *est-ce qu'il vient ?*, etc. Mais là encore la langue populaire a réagi contre l'inversion en combinant les deux morphèmes pour dire : *c'est-ti que tu viens ?*

Jusqu'ici on a considéré l'interrogation portée sur la totalité de l'énoncé, mais la langue dispose de pronoms et d'adjectifs qui permettent de la faire tomber sur telle ou telle partie de la phrase : le sujet *(qui vient ?)*, l'objet *(que fais-tu ?)* ou quelque circonstance : *où, quand, comment, combien,* etc. Là encore la langue populaire rétablit la séquence normale en disant : *tu fais quoi ?, on est le combien ?, tu viens quand ?*

Ces pronoms se sont combinés avec le morphème de mise en relief déchu de sa valeur ; et on dit : *qui est-ce qui vient ?, qu'est-ce que tu fais ?, quand est-ce que tu viens ?* Et la langue populaire : *qui c'est qui vient ?* transformé en *qui qui vient ?* et quelquefois en *qui qui vient ti ?*

Ces monstres reflètent la crise de l'interrogation, dans laquelle la séquence inversée, étrangère au génie de la langue, laisse le morphème sans défense sous la poussée de la mise en relief affective.

L'interrogation peut être posée négativement : *ne viens-tu pas ?*, avec toutes les formes secondaires et parasitaires qui en découlent.

Enfin on verra plus loin que l'interrogation, comme chaque type d'énoncé, repose sur le ton : *tu viens ?*

b) *La négation* nie l'énoncé sous ses différentes formes ; mais c'est évidemment l'énoncé déclaratif qui se prête plus particulièrement à cette modalité : *je viens-je ne viens pas.*

La négation est exprimée par un morphème qui tombe sur le verbe lorsqu'elle porte sur la totalité de l'énoncé — comme c'est généralement le cas — mais qui peut être transférée au besoin sur un terme de la proposition.

L'ancien français possède une négation conjointe atone, qui se place avant le verbe sans auxiliaire : *Guillaume ne cuidoit que li mariages...*

Il a, d'autre part, la négation disjointe accentuée qui a survécu en français moderne : *je désire du vin non de l'eau. Ne* est une forme faible issue du latin *non* ; mais le latin peut la marquer de l'accent tonique *(non volo* ou *nón volo)* ; cette possibilité est déniée à *ne* qui se trouve, par ailleurs, étroitement amalgamé au verbe et dans une position très faible ; comparez : *je ne sais, je n'aime,* etc., à l'anglais *I don't know, I don't like...* avec encore la possibilité de formes accentuées : *I do not know.*

Faute de pouvoir renforcer le morphème, solution de l'anglais, qui lui était interdite par le rythme oxyton (cf. *infra,* p. 118), le français a adjoint au verbe un complément qui apparaît à l'origine sous de nombreuses variantes : *pas, point, mie, goutte, fétu, denier,* etc. Ces mots sont interchangeables et certains nous sont restés dans des locutions figées : *n'y voir goutte, ne sonner mot...* ; mais *pas* et *point* ont fini par se spécialiser, le premier éliminant progressivement le second qui reste attaché à l'usage littéraire ou dialectal.

L'adjonction de la particule a permis de faire porter l'accent à la fois sur la fin du syntagme et sur la négation ; mais porteur de l'accent, *pas* a fini par éliminer *ne.* L'usage admet *pas du tout, pas d'argent pas de Suisse,* etc., et c'est très difficilement qu'il lutte contre le tour familier : *je sais pas, il m'a pas dit,* etc.

De même que l'interrogation, la négation dispose de pronoms spéciaux qui permettent de nier tel ou tel terme de l'énoncé : le sujet ou l'objet (*personne, rien, nul,* etc.), les circonstances (*jamais, nulle part,* etc.).

Chapitre V

LA SYNTAXE EXPRESSIVE (1)

La phrase prédicative — telle qu'on l'a jusqu'ici décrite — a pour fonction d'énoncer objectivement un propos.

Ainsi, un père fait savoir à sa femme que leur fils refuse d'obéir ; il dira : « Georges refuse d'obéir » ; mais le plus souvent il éprouve devant une telle constatation un sentiment, plus ou moins vif, d'impatience, de colère, d'impuissance, et qui pourra être expressément *désigné* dans l'énoncé sous la forme prédicative : « Je suis furieux parce que Georges refuse d'obéir » ou « Georges est insupportable et refuse d'obéir ».

D'autre part, ce sentiment peut être directement *exprimé* par la forme même du discours en dehors de son contenu lexical et grammatical. L'énoncé est alors double ; véhicule d'une signification objective et manifestation directe de l'état psychologique qui en motive l'énonciation. Ainsi un coup de sonnette est le signal m'informant que quelqu'un désire être admis dans la maison, et, en même temps, sa forme brusque, brutale, réitérée exprime l'état d'esprit du visiteur, son impatience, sa fureur, etc.

Tout énoncé a un double contenu : comme signe référant à un système de conventions sémantiques, comme acte exprimant directement la personnalité,

---

(1) L'essentiel de ce chapitre a paru dans la revue : *Zagadnienia rodzajów literackich*, Łódź, 1962.

les intentions, l'état d'esprit du locuteur. Les deux messages se superposent, chacun entrant dans les proportions variables qui vont de la désignation pure à valeur expressive zéro ou tendant vers zéro *(la somme des angles d'un triangle est égale à deux droits)*, à l'expression pure à contenu sémantique tendant vers zéro (l'interjection, par exemple).

Entre ces deux limites on trouve tous les degrés, toutes les formes de mélange et de contaminations du prédicatif et de l'expressif ; ce dernier est une mise en relief, plus ou moins spontanée ou conventionalisée, et qui repose sur le lexique, la syntaxe et la prosodie.

Ainsi dans notre exemple : « il refuse d'obéir, Georges », « ton fils refuse d'obéir », « Monsieur refuse d'obéir », etc., le tout avec des variations mélodiques, accentuelles, démarcatives appropriées.

L'expressivité est essentiellement affective, elle exprime des émotions, des désirs et lorsqu'elle affecte de simples jugements intellectuels, c'est pour les colorer de sentiment : elle affirme catégoriquement, elle dénie avec passion, elle interroge avec angoisse.

D'autre part, elle est, par définition, subjective, et toujours une manifestation du sujet parlant, et non du sujet grammatical qui ne saurait s'exprimer, car l'expression est un acte concret comme le geste, le tic, la mimique ou le cri.

Expressif, subjectif, affectif sont en corrélation de même que prédicatif implique objectif et logique. Tout fait d'expressivité englobe nécessairement ces trois caractères ; mais chacun dans des proportions différentes qui vont, comme on l'a dit, de l'expression brute à la simple coloration affective.

Faute de pouvoir décrire ici l'ensemble des procédés expressifs dont dispose la syntaxe, je me bornerai à présenter quelques exemples-types, en profitant de l'occasion pour les placer sous un éclairage nouveau — au moins à ma connaissance ; il s'agit de la phrase locutive, du passé narratif et de la place de l'adjectif.

I. — La phrase locutive et la motivation expressive

Les grammairiens ont toujours été embarrassés devant certaines formes de la langue parlée, telles que l'impératif, le vocatif, l'interjection ou les « mots-phrases » du type : *feu !*, *à la porte !*, *mort aux vaches !*, *pas folle la guêpe !*, etc. C'est ainsi que M. Gougenheim, dans son *Système grammatical de la langue française*, règle le sort des interjections dans une note de trois lignes : « Nous ne dirons rien des interjections (ah ! chut !, hélas !, etc.) qui loin de constituer des « parties du discours » sont un mode d'expression rudimentaire, étranger au système grammatical » (*op. cit.*, p. 48, note 2).

De même M. P. Imbs, dans son *Emploi des temps en français moderne*, constate que « l'impératif est situé en marge du système verbal ».

Quant aux « mots-phrases » on y voit le plus souvent des ellipses ; ainsi : *admirable, ce tableau !* est généralement considéré comme l'équivalent de *ce tableau est admirable ! admirable est ce tableau !* avec un verbe sous-entendu.

Ce point de vue est non seulement inexact, mais il obscurcit le problème (1).

---

(1) L'explication par l'ellipse, si fréquente dans nos grammaires, est presque toujours fausse. *Demander grâce* n'est pas une forme elliptique de *demander une grâce*, avec lequel il s'oppose ; c'est un degré zéro de l'article (cf. *supra*, p. 49) ; de même des tours

Le « mot-phrase », en effet, n'est pas une forme particulière de l'énoncé prédicatif, il appartient à un système d'expression différent dans lequel il ne peut pas y avoir ellipse du verbe pour la raison qu'il ne possède pas de verbe, que la catégorie du verbe n'existe pas dans ce système que je désirerais appeler *locutif* pour bien marquer qu'il ne s'agit pas d'un accident de la forme prédicative, mais d'un type d'expression autonome. Le verbe, en effet, est un signe marqué de morphèmes qui permettent d'attribuer un prédicat à un sujet ; sujet qui désigne selon la définition traditionnelle la personne qui parle, à qui l'on parle ou dont on parle. Mais il faut bien prendre garde que la première et la deuxième personnes sont des personnes *dont on parle*. A l'aide du verbe le locuteur attribue une action ou un état à un sujet qui peut être lui-même.

Or, le « mot-phrase » n'attribue rien à personne, il n'est que l'expression d'une pensée, d'un sentiment, d'un désir du locuteur ; il ne saurait donc comporter de verbe, ni de sujet, ni par conséquent de personne prédicative.

Lorsqu'on traduit *amusante cette histoire* par « cette histoire est amusante » on passe d'un système grammatical dans un autre ; mais en fait l'énoncé *exprime* un sentiment du locuteur (son amusement devant cette histoire), et le sujet prédicatif n'est pas l'histoire mais *je* : « je suis amusé par cette histoire ».

La phrase locutive n'a qu'un espace et qu'un temps qui sont ceux de la communication ; le *je* s'identifie avec le locuteur, le *tu* avec l'auditeur et le *il* avec la chose, ou l'être, ou la parole *hic et nunc* impliqués dans la communication.

archaïques du type *à père avare fils prodigue* correspondent à un degré zéro de la copule de liaison.
Dans *je suis venu, j'ai vu, j'ai vaincu* il n'y a pas ellipse de la conjonction mais absence de lien coordinatif (cf. *supra*, p. 69), etc.

La parole y est un acte qui exprime soit une perception, soit un jugement, soit un sentiment, soit un désir du locuteur et qui en constitue une manifestation concrète. Et relevons, en passant, que le locuteur ne peut pas exprimer une action (sinon par geste), l'acte du locuteur étant précisément de parler.

L'énoncé locutif possède une grammaire, et une grammaire élaborée, mais qui nous paraît rudimentaire faute d'avoir été analysée et définie jusqu'ici.

Elle n'a point de temps ni de verbes, mais elle conserve le nom et l'adjectif avec leur assiette : *un cheval!*, *le cheval!*, *ton cheval!*, *le beau cheval!*, etc.

D'autre part ces signes sont modalisés par le ton ; et on sait combien il peut être riche et varié. Il y a trois tons fondamentaux qui correspondent aux trois modalités de la phrase prédicative (cf. *supra*, p. 89) : le ton déclaratif, interrogatif et jussif.

Le ton déclaratif descend sur la fin de l'énoncé, souvent après une montée initiale : *admirable!* ⌒ *Jacques!* ⌒. Le ton interrogatif est suspendu : *Jacques?* ⌐, la voix montant sans redescendre. Le ton jussif pur a une mélodie plane, avec un accent tonique fortement marqué : *Jacques* (appel) ——.

Le ton déclaratif exprime que le locuteur perçoit l'objet qu'il a devant lui et qu'il éprouve à son sujet une pensée ou une émotion. Le ton interrogatif, qu'il s'interroge à son sujet. Le ton jussif qu'il le désire. Et les trois tons peuvent se combiner en nombreuses variations.

Une phrase du type *un cheval* exprime « je veux un cheval » si le ton est jussif ; « est-ce là un cheval ? » si le ton est interrogatif ; « je vois là un cheval », si le ton est déclaratif.

Déclaration, question, désir sont implicitement orientés vers l'allocuteur. Il en résulte que le ton jussif combiné avec un substantif régi *(au feu!, à bas les pattes !*), ou avec un radical désignant une action, demande à l'interlocuteur d'effectuer cet acte. Dans le premier cas c'est la rection qui implique l'acte, dans le second c'est le radical verbal. *Feu !* est en régime direct, et signifie *faites feu* ; *au feu !* est circonstanciel et signifie *venez au feu* ; *sors, ferme la porte* ne sont que les radicaux non modalisés (1) des verbes *sortir, fermer* et signifient *faites l'action de sortir*.

L'ordre est formulé par le ton dont la fonction est d'exprimer que l'objet du propos doit être réalisé, effectué par l'interlocuteur.

Lexicalement ce propos est spécifié aussi bien par un substantif, qu'un adverbe ou un verbe ; le « verbe » locuto-jussif n'est qu'un radical dépourvu des modalités de la personne et du temps. Lorsqu'une même racine présente des formes verbales nominales et adverbiales, on emploie l'une ou l'autre indifféremment : *avance* et *en avant* ; *arrête* et *arrêt* ou *arrêter* (autre forme nominale du verbe).

L'impératif n'est donc que le radical d'un mot qui appartient à la catégorie du verbe dans le discours prédicatif et il ne peut être introduit dans ce dernier que marqué de l'indice *dit-il*, qui fait passer la forme locutive dans l'énoncé prédicatif : *Viens, dit-il alors*, etc.

Il en est de même du vocatif qui est un substantif non modalisé et qui, combiné avec le ton jussif, marque le désir du locuteur de faire venir à lui la personne appelée.

Dans l'énoncé locuto-déclaratif, le propos est constitué par une chose que le locuteur a devant lui et qui fait l'objet d'une pensée, d'une émotion que la parole exprime. Cet objet peut être spécifié sous

---

(1) Je veux dire non pourvus de leurs modalités syntaxiques prédicatives, telles qu'elles ont été définies au chapitre II, mais comportant en revanche des modalités prosodiques expressives.

forme d'un substantif : *le cheval ! ce cheval !* ; substantif qui peut être déterminé : *le beau cheval ! le cheval de Paul !* Mais c'est toujours le ton qui exprime la pensée ou le sentiment éprouvés par le locuteur *devant* le cheval, le beau cheval, etc.

A la limite la spécification de l'objet peut être nulle et on a une forme qui n'est plus que le support du ton ; c'est l'interjection. *Oh ! Ah !* expriment alors l'admiration ou la surprise éprouvée par le locuteur en face de l'objet qu'il a devant lui.

Par ailleurs les valeurs prosodiques se combinent avec les spécifications lexicales :

— *un cheval !* = surprise du locuteur devant un cheval ;
— *oh ! un cheval !* = surprise marquée d'un morphème tonal ;
— *surprenant, ce cheval !* = surprise lexicalisée.

D'autre part l'assiette du nom permet de mettre en relief certaines de ses modalités, objets particuliers de l'expression :

— *ce cheval !* = surprise provoquée par l'identité du cheval ;
— *quel cheval !* = surprise provoquée par la qualité du cheval ;
— *que de chevaux !* = surprise provoquée par le nombre de chevaux.

La mise en relief est aussi obtenue par l'inversion ou la disjonction séquentielle : *le beau cheval !*, *beau, le cheval !* C'est à dessein que je n'ai pas parlé jusqu'ici de l'exclamation, bien que la plupart des exemples invoqués soient exclamatifs. Mais l'exclamation peut marquer la phrase prédicative aussi bien que la phrase locutive.

C'est une emphase du ton et de l'accent qui en met en valeur le caractère affectif.

L'affirmation ou la négation peuvent être énergiques, l'interrogation passionnée ou angoissée, l'ordre pressant ; et, à plus forte raison, l'énoncé de sentiments et d'émotions baigne-t-il dans l'affectivité.

Cette affectivité est nécessairement celle du *loquens*, quel que soit le sujet de la phrase ; elle tend cependant à se manifester lorsque le locuteur parle de lui-même et dit *je*, et plus particulièrement lorsqu'il parle de ses sentiments. Mais elle est à son maximum dans la phrase locutive, dans laquelle le *loquens* s'identifie avec le « sujet » et qui a presque toujours pour objet l'expression de désirs et d'émotions.

L'exclamation est donc une mise en relief du ton, à des fins affectives. Elle s'accompagne, le plus souvent, des différents procédés de mise en relief logique : variations de séquence, rupture des liaisons démarcatives, emplois de morphèmes spéciaux ; mais dans son principe elle repose sur une exagération des différences mélodiques et accentuelles qui définissent les trois tons : déclaratif, interrogatif, jussif.

Ainsi il y a un ton interrogatif normal : *est-ce que tu viens ?*, qui peut être amplifié par une montée de la voix suspendue sur la finale, montée plus ou moins forte et qui colore plus ou moins fortement la question, de surprise ou d'impatience.

L'exclamation peut être portée sur telle ou telle partie de la phrase à l'aide d'exclamatifs : *que, comme, comment, combien, quel*, qui sont des interrogatifs affectivisés.

— *Quel beau jardin vous avez !* = j'admire la qualité de votre beau jardin ;
— *Que vous avez un beau jardin !* = j'admire la possession que vous avez d'un beau jardin ;

— *Comme vous avez un beau jardin !* = j'admire la façon dont vous possédez un beau jardin.

Ces tours qui s'insèrent par définition dans un énoncé oral prennent facilement une forme locutive : *quel beau jardin !*, *comme beau jardin*, *ça !*, etc.

C'est que la phrase locutive est l'expression brute et directe de l'affectivité par les variations de la voix qui n'est, à ce niveau, qu'un acte (vocal), comme le geste ou le cri.

L'exclamation prédicative combine les deux systèmes d'élocution en un double message : en même temps que le locuteur *attribue* une pensée, une émotion, un désir, un état, un acte à un sujet, *il exprime* par des variations prosodiques non grammaticalisées les sentiments qu'il éprouve à l'égard de cette attribution.

— *Que c'est beau !* = c'est beau + manifestation concrète de mon admiration ;
— *Tu viens !* = viens-tu + manifestation de mon impatience ;
— *Comme je t'aime !* = je t'aime + manifestation de l'amour que j'éprouve.

On a donc trois types de styles :
1) Le style prédicatif pur, désignatif, objectif et logique : *Jeannette est gentille* (attribution d'une qualité à J.) ;
2) Le style locutif pur, expressif, subjectif et affectif : *gentille, Jeannette* (plaisir du locuteur devant la gentillesse de J.) ;
3) Le style prédico-locutif qui combine les deux modes d'élocution : *Qu'elle est gentille Jeannette*.

Dans ce troisième type le contenu expressif repose sur le ton, lui-même appuyé sur les mises en relief syntaxiques (séquence et pauses), le tout en relation avec les valeurs lexicales.

On comprend pourquoi l'expressivité est si étroitement liée à la motivation du signe. Dans la mesure où il devient la manifestation concrète d'un état psychologique, il se veut comme une image de cet état. Alors le désordre de la phrase exprime le désordre des sentiments ; l'inversion des hiérarchies, l'absence de liaisons, etc., expriment des relations affectives qui refusent d'entrer dans la structure élaborée de la phrase logique.

Les expriment, mais en même temps les symbolisent car il n'est que trop évident que cette syntaxe expressive, si elle a pu avoir une origine naturelle, s'est organisée en un système de conventions. Qui songerait à s'écrier *Bah !* ou *Pfutt !* s'il ne l'avait appris ; et il n'y a rien de plus conventionnel, finalement, que les tons, ou les interjections, et les innombrables variations mélodiques, accentuelles et démarcatives de la phrase parlée : au moment précis où j'écris ces lignes, la Comédie-Française me radiote je ne sais quelle tragédie qu'elle hurle tour à tour et sussure, rugit, roucoule, éructe, balbutie et tisse en un fond sonore d'où n'émergent de loin en loin qu'un déférent « Madame »... ou un « Seigneur... » angoissé.

Il y a certainement là un système de conventions complexes avec son lexique et sa syntaxe dont l'étude n'a jamais été faite.

II. — Objectivité et subjectivité : le passé narratif

La communication implique un locuteur, un auditeur et un troisième terme, « la personne ou la chose dont on parle », selon la définition ambiguë — ambiguë parce que, dans la phrase prédicative, la première, la deuxième personnes, sont — au même titre que la troisième — des personnes *dont on parle*, dont parle le locuteur.

Ce triangle fondamental est défini par la situation linguistique, il est essentiel à toute communication ; c'est pourquoi les trois personnes constituent la catégorie grammaticale la plus universelle et la plus stable. A ma connaissance on la retrouve dans toutes les langues alors que toutes les autres catégories varient d'un idiome à l'autre.

Mais le « sujet parlant » est tout autre chose que le *je* : « je est un autre » ; et c'est, peut-être, après tout, le sens que donnait le poète à cet énigmatique propos.

Le *je* est distinct du moi parlant, comme le *tu* du toi écoutant et le *il* du lui parlé. C'est une personne objective.

Les trois pronoms sont des projections de la pensée du locuteur ; et le *je* désigne un moi distinct, séparé, que le *loquens* observe, pense et parle, qu'il détache de lui-même pour lui attribuer un temps, un espace, des modalités autonomes et distincts du temps, de l'espace, des modalités de son existence parlante.

L'expressivité, en revanche, est un attribut du sujet parlant, de l'individu qui parle au moment où il est en train de parler. Lorsqu'on dit *tu viens !* sur un ton coléreux, ou *lui, malade !* sur un ton dubitatif, la colère ou le doute ne sont pas ceux de *tu* ou de *lui*, mais de celui qui prononce ces mots ; et lorsque ce dernier parle de lui-même, il ne faut pas confondre les sentiments que l'énoncé attribue au *je* et ceux qu'il actualise comme des manifestations du moi qui les exprime.

L'expressivité est donc par définition subjective ; mais d'une subjectivité qui est celle du sujet parlant car le sujet grammatical est toujours objectif et ne saurait, par définition, être autrement.

Certes le *je* est plus subjectif que le *tu* ou le *il*, car il n'est séparé du locuteur que par une distance psychologique ; c'est pourquoi les genres expressifs, et en particulier la poésie lyrique, sont presque toujours écrits à la première personne, presque toujours aussi, et pour la même raison, ils sont écrits au présent.

Des trois pronoms, le *je* actualise l'énoncé au plus près du moi ; mais la distance reste encore grande et toute expressivité, c'est-à-dire manifestation du parlant, est en définitive une réintériorisation du discours et plus particulièrement du *je*.

L'étude de la forme narrative est des plus intéressantes à cet égard.

Il y a un *je* narratif, qui ne se confond pas avec le *je* autobiographique et le *je* pseudo-autobiographique, mais qui identifie l'auteur avec sa création. Réciproquement il y a un *il* autobiographique qui soustrait le *je* à son histoire pour mieux le situer dans l'Histoire où le moi se contemple.

Michel Butor a parfaitement démonté ce jeu des miroirs romanesques et a pratiqué une manœuvre des emplois narratifs du pronom.

On songe, en particulier, au *vous* de la *Modification*, c'est un *vous* du personnage-narrateur qui se parle à lui-même et s'adresse du même coup au lecteur qu'il attire et enferme dans ce dialogue intime. Ce *vous* correspond au *je* fictif mais installe le récit, non plus dans le temps du narrateur, mais dans celui du lisant.

Le présent historique n'est de même qu'une transposition d'un passé conté dans le présent du conteur. En fait toute forme expressive est par essence subjective et, quels que soient les procédés, qui sont les plus divers, elle tend à abolir ou à diminuer la distance du *je* au moi *loquens*, à confier au parlé quelques-uns des attributs du parlant et qui se superposent aux valeurs grammaticales et lexicales de l'énoncé.

Le procédé peut être très évident comme dans la phrase exclamative, ou plus subtil comme dans l'emploi de l'adjectif, il se ramène toujours à ce déplacement d'une partie de la communication qui passe du sujet grammatical sur le sujet parlant. Tel est bien l'emploi moderne de l'opposition passé simple-passé composé, pratiquement abandonnée par la langue de communication, mais qui survit dans le récit.

On sait que la plupart des emplois du passé simple sont, dans la langue moderne, assumés par le passé composé. Beaucoup de grammaires nous disent même que le passé simple a entièrement disparu de la langue parlée et n'est plus qu'une survivance littéraire. Mais ceci est inexact ; le passé simple est devenu le temps du récit fictif, genre littéraire qu'on rencontre de moins en moins sous des formes parlées ; toutefois dès qu'on raconte une histoire du type : « Il était une fois... », le passé simple reprend ses droits. Donc le passé simple est désormais un temps du récit ; temps du roman, mais surtout du conte ; on va voir pourquoi et comment.

Les grammaires opposent le passé composé ou passé proche au passé lointain exprimé par le passé simple ; ou plus exactement le passé simple est un passé révolu alors que le passé composé se situe dans une période de temps, jour, semaine, année, siècle non encore achevée au moment où l'on parle. C'est la règle des grammairiens classiques qui exigeait : *hier je fis — aujourd'hui j'ai fait* ; *la semaine dernière je fis — au début de l'année j'ai fait*. Si bien que ce n'est qu'après la mort d'un personnage qu'on pouvait dire *il naquit* et que, parlant de soi-même, seul était possible : *je suis né*.

Sous cet aspect dogmatique — qui est le propre des règles classiques — le choix des deux formes a été longtemps un des scrupules chéris de la casuistique grammaticale : faut-il, par exemple, considérer la conquête de la Gaule par César comme un passé révolu ou un événement dont l'incidence pèse encore sur notre présent ?

L'usage classique découle de la règle des vingt-quatre heures, formulée au XVIe siècle, et qui veut, selon Henri Estienne, que « quand nous disons, j'ay parlé à luy, et luy ay faict response, cela s'entend avoir esté faict ce jour-là ; mais quand on dit, Je parlay à luy et luy fei response, ceci ne s'entend point avoir esté faict ce jour même auquel on raconte ceci, mais auparavant, sans toutefois qu'on puisse juger combien de temps est passé depuis ».

Cette distinction a sa source dans une opposition passé-présent ; à l'origine les deux temps sont des perfectum, c'est-à-dire expriment que l'action est achevée, mais achevée à un moment du passé ou achevée au moment présent. A l'époque archaïque : *j'ai une amie aimée* a la même valeur de présent qui s'est conservée dans : *j'ai bu mon café, partons, j'ai couru trop vite, j'ai chaud* ; il s'agit du résultat présent d'une action passée.

Cependant, de très bonne heure, le sens s'est déplacé de l'état présent sur l'action passée et le passé s'est petit à petit détaché du présent ; le passé composé tend à rejoindre le passé simple.

L'usage médiéval est des plus confus et les textes eux-mêmes sont le plus souvent équivoques ; la plupart des grammairiens sont en désaccord sur la valeur de l'opposition dont certains nient l'existence.

La règle des vingt-quatre heures, très logique, montre qu'au XVIe siècle, le passé composé commence à se détacher du présent sans en être entièrement séparé ; il y a une sorte de dilatation conventionnelle du présent qui rappelle l'unité de temps de la tragédie. Quant à la règle classique de la période actuelle (heure, jour, semaine, mois, siècle), elle n'est qu'une rationalisation arbitraire.

Aujourd'hui l'opposition s'est perdue, comme le montre la belle enquête de M. Marcel Cohen dans *Grammaire et style*, qui permet de distinguer trois groupes d'auteurs :

— quelques puristes attardés qui maintiennent l'usage classique ;
— un grand nombre d'indifférents qui emploient les deux temps côte à côte et pêle-mêle, sans y voir une opposition de valeurs ;
— quelques écrivains qui ont absolument banni l'emploi du passé simple.

On pourrait donc conlure que ce dernier a été désormais supplanté et éliminé par le passé composé.

Cependant il est des écrivains qui emploient le passé dans le récit, non point au hasard et comme une survivance plus ou moins archaïsante ou indifférente, mais dans une opposition originale.

Pour Camus, pour Simenon et quelques autres, le passé simple est le temps du narrateur qui prend ses distances par rapport à son récit et à ses personnages ; l'opposition passé simple-passé composé correspond à celle du *je* et du *il* narratifs, évoquée plus haut. C'est pourquoi le récit à la première personne est généralement au passé composé et au passé simple celui à la troisième personne. Mais il y a des variations à l'intérieur de cette opposition fondamentale.

Dans tel roman de Simenon, par exemple, le narrateur raconte à la troisième personne et au passé simple, et à l'intérieur de la narration le personnage peut raconter à la troisième personne mais au passé composé.

L'opposition n'est pas temporelle, au sens ordinaire, elle ne se situe pas sur la ligne du temps, mais distingue plusieurs lignes de temps : le temps du narrateur, le temps du narré ; narré qui peut à son tour devenir narrateur ; il s'agit non de temps mais de durées vécues ; et il y a un « temps » du *je* (passé composé) et un « temps » du *il* (passé simple).

Mais le *je* peut être conçu dans un « temps » désormais distinct, éloigné, révolu, refusé, oublié et il emploie le passé simple qui est le temps d'un *je* que le narrateur objectivise. Réciproquement il peut se rapprocher du *il*, faire coïncider sa propre durée avec celle du *il* et il emploiera alors un passé composé par lequel il participe à sa création et sympathise avec elle.

Le jeu des pronoms et des différents temps du passé — y compris l'imparfait et le présent historique — devient alors d'une subtile variété et permet de déplacer à tout instant non le temps linéaire mais l'optique des rapports psychologiques entre l'auteur et ses personnages et les personnages entre eux.

Il est intéressant de suivre le développement historique de cet emploi, dans lequel on saisit trois étapes :
— à l'origine, une pure opposition temporelle : passé-présent ;
— ensuite une distinction modale qui oppose le temps, abstrait et historique, au temps concret de la communication ;
— enfin, au sein de cette communication elle-même,

s'oppose la durée désignée objectivement ou subjectivement vécue. Le temps est alors l'*expression* des sentiments du sujet parlant de sa vision, de ses relations intimes avec le sujet du récit.

III. — La place de l'adjectif

L'adjectif qualificatif peut, dans certaines conditions, se placer soit avant soit après le substantif. Les grammairiens ont depuis longtemps relevé cette opposition que Grevisse définit, d'après M. J. Marouzeau, en constatant que « l'adjectif se place avant le nom quand il a une valeur qualitative, exprimant un jugement, une impression, une réaction subjective, souvent affective : *une charmante soirée, une noble initiative, un vilain personnage* ; il se place après le nom quand il a une valeur discriminative, énonçant un caractère spécifique, une catégorie, une qualité physique, une appartenance locale ou temporelle, etc. : *la nature humaine, un fonctionnaire civil, les métaux ferreux, la langue française*, etc. ».

Cette définition, juste dans l'ensemble, est prise en défaut dans le détail ; ainsi *un gros nez, une petite roue* n'ont pas la valeur subjective et affective qu'on retrouve dans un *gros banquier, un petit coup de blanc*.

Il y a là une des questions les plus obscures et les plus controversées de notre syntaxe et à laquelle je voudrais m'arrêter pour formuler quelques observations personnelles.

Il faut d'abord relever que l'opposition séquentielle n'est pas un caractère de l'adjectif mais de la combinaison adjectif-substantif ; ainsi il n'y a pas d'opposition possible à *chien blanc*, mais il y en a une à *colombe blanche*.

Tout ce qu'on peut dire, c'est qu'il y a certains adjectifs qui sont difficilement déplaçables, en particulier les adjectifs de relation, formés sur des substantifs : *équestre, atomique, ferreux*, etc. ; et d'autres qui sont très facilement déplaçables, en particulier les adjectifs abstraits : *noble, vilain, libre*, etc.

Lorsque l'opposition est impossible, l'adjectif occupe sa place normale après le nom avec sa valeur propre, objective et spécifique. Toutefois la langue conserve des vestiges d'un système archaïque qui antépose normalement le qualificatif (cf. p. 117) ; c'est ainsi qu'un petit nombre d'adjectifs, très anciens, à valeur générique, qui sont des sortes d'auxiliaires de la catégorie adjective, comme il y a des verbes auxiliaires, continuent à s'antéposer normalement ; tels sont : *gros, grand, long, vieux, jeune, petit*, etc. : *un long bâton, un vieux costume, un petit chemin*, etc. Ils constituent dans le système des constructions irrégulières à côté des pluriels irréguliers ou des formes irrégulières de certains verbes. L'antéposition est dans ce cas une simple contrainte et, le mot n'entrant pas dans une opposition discursive, la place est dépourvue de valeur et l'adjectif y conserve son sens propre.

En revanche, lorsque le déplacement est possible, la place est pertinente. Mais le fait remarquable est que le petit nombre des formes à constructions irrégulières, dans ce cas, s'alignent sur la norme ; et que *grand, petit, gros, vieux*, etc., ont, comme tous les autres adjectifs réguliers, un sens propre et objectif après le nom et une valeur particulière à l'antéposition.

Dans tous les cas, donc, où s'offre la possibilité d'une permutation discursive (dans le discours), l'antéposition assume une valeur qui s'oppose au

sens propre. Mais cette valeur, comme toujours, réalise des effets de sens différents selon la nature du contexte lexical. Il peut y avoir selon le cas :
— opposition sémantique = *grand homme/homme grand* ;
— valeur métaphorique : *blanche colombe/colombe blanche* ;
— valeur effective : *vertes campagnes/campagnes vertes.*

Le dynamisme de l'opposition va ainsi en se dégradant, jusqu'au point où, la valeur cessant de s'actualiser, la séquence est indifférente : *un terrible accident/un accident terrible.*

Mais dans tous les cas il y a bien une valeur oppositionnelle commune et qui préexiste à toute réalisation ou absence de réalisation sémantique particulière : l'adjectif à sa place normale a une valeur spécifique et détermine l'individu nommé ; antéposé, il a une valeur générique et détermine la catégorie lexicale nommante.

Un homme grand est un individu grand ; *un grand homme* est un individu dans lequel l'humanité est grande.

L'adjectif antéposé modalise la catégorie, d'où sa valeur adverbiale : *un grand seigneur* est seigneur avec grandeur ; *un simple soldat* est simplement soldat, etc.

On comprend donc pourquoi l'adjectif de relation refuse de s'antéposer ; dans *boucherie chevaline*, *auto décapotable*, le cheval, la capote sont des attributs extrinsèques ; ils spécifient l'individu et non la catégorie ; car lorsqu'ils sont communs à toute une catégorie, ils prennent alors valeur de substantif, signe de cette catégorie : *un carnivore, un épagneul...*

En ancien français, l'adjectif générique se place

avant le nom : *rouge-gorge*, *aubépine*, *bas-fonds*, *ronde-bosse*, etc., ce n'est qu'à une date relativement récente qu'apparaissent des composés du type *bas-bleu* ou *pied-noir*.

D'autre part toute catégorie est une abstraction, d'où la valeur abstraite et partant métaphorique et subjective, et donc expressive de l'antéposition. Elle est certainement liée à l'opposition actuel-virtuel, si importante en ancien français (1). Une *blanche colombe* est une colombe dans laquelle la colombité est blanche ; d'où se dégagent les valeurs métaphoriques propres à la colombe (chasteté) et à la blancheur (candeur). Et on comprend que si l'antéposition n'est pas possible dans *chien blanc* ou *chien noir*, c'est que la langue n'a pas jusqu'ici conçu des valeurs de la noirceur, susceptibles de déterminer la caninité. En revanche on parlera facilement *des noirs chevaux de l'Apocalypse*, symbole d'une obscurité et de ténèbres mystiques.

La valeur prend alors une coloration affective et subjective ; dans *les vertes campagnes*, ce n'est pas seulement l'herbe ou le feuillage qui sont verts, mais tout ce qui fait pour nous la campagne : fraîcheur, calme, fécondité, etc. ; et l'opposition primaire spécifique-générique est bien toujours sous-jacente.

On la retrouve — diluée il est vrai — dans une *automobile luxueuse* et *une luxueuse automobile* ; la première brille de l'éclat de ses chromes, de ses glaces, de ses cuirs ; la seconde est un signe social, luxueusement automobile.

(1) J'avais, dans ma *Grammaire*, subodoré une relation entre la place de l'adjectif et le degré zéro de l'article à propos des tours : *de bons amis*, *de bonne soupe*... L'origine m'en apparaît aujourd'hui plus clairement ; si l'antéposition virtualise le nom, elle refuse l'article d'actualisation ; il en est de même de la négation : *pas d'amis*, *pas d'argent*, etc.

Mais on arrive à la limite où la valeur cesse de s'actualiser ; c'est le cas en particulier pour les noms abstraits, dans lesquels l'esprit (et la langue) distingue mal la catégorie abstraite de l'accident actualisé : l'anglais, on le sait, et l'ancien français, emploient les noms abstraits sans article. Y a-t-il une différence entre *une fastueuse réception* et une *réception fastueuse* ? Nous concevons mal un genre « réception » qui transcende les mardis de la générale, les cocktails de l'ambassade et les bals du ministère ; d'un tel mot nous distinguons mal l'essence de l'existence, si on me permet ce jargon ; c'est ce qui rend l'opposition séquentielle sans effet de sens, tout en l'autorisant au gré du rythme, de l'euphonie ou de quelque autre préoccupation stylistique.

L'antéposition, dans ce cas, prend souvent une nuance littéraire, teintée de préciosité ou d'élégance. Mais nous sortons, ici, du domaine de l'expressivité.

Pour résumer ce difficile problème, on peut considérer qu'il y a deux catégories, non pas d'adjectifs, mais de combinaisons adjectif-substantif, selon que l'opposition de séquence est ou non possible.

Dans le cas d'une séquence fixe, l'adjectif a sa valeur propre et occupe sa place normale ; c'est-à-dire qu'il est postposé en dehors de quelques formes archaïques irrégulières qui sont normalement antéposées.

Dans le cas d'une séquence variable, l'adjectif est postposé avec sa valeur spécifique — y compris les irréguliers normalement antéposés en séquence fixe — et il est antéposé avec une valeur générique.

Mais l'opposition valeur spécifique-valeur générique s'actualise en effets de sens différents selon le contexte lexical ; à la limite l'effet de sens peut être nul et l'opposition indifférente.

On a donc le schéma suivant :
1º Séquence fixe (sens propre) :
   a) un bâton blanc ;
   b) un grand bâton ;
2º Séquence variable :
   a) spécifique-générique : une femme belle-une belle femme ;
   b) propre-figuré : une colombe blanche-une blanche colombe ;
   c) objectif-subjectif : une forêt sombre-une sombre forêt ;
   d) valeur non réalisée : un accident terrible-un terrible accident.

A l'intérieur de ce schéma les faits sont troublés par la survivance d'un petit nombre de constructions archaïques où l'adjectif non permutable est normalement antéposé. Par ailleurs, dans le cas d'une opposition licite, mais sémantiquement indifférente, la séquence est souvent réglée par l'euphonie et le rythme.

Mais l'opposition fondamentale spécifique-générique est en train de se perdre. La langue moderne forme des génériques à détermination postposée : *un cordon bleu, un bec jaune* en face de l'ancien français *rouge-gorge, aubépine* ; il en est de même des noms propres et on dit : *Fleur-bleue, Nez-rouge* en face de *Blanchefleur, Court-nez*. Les métaphores, elles-mêmes, postposent désormais l'adjectif *(une oie blanche)*.

L'inversion n'est plus aujourd'hui qu'une construction expressive dont la fonction est d'opposer le subjectif et l'objectif.

Conclusions

LES TENDANCES DU FRANÇAIS

Au terme de ce rapide tour d'horizon, nous pouvons prendre un certain recul.

Recul synchronique qui nous permet de voir le fonctionnement du système dans son état présent, d'en comprendre les interrelations et d'en saisir les hiérarchies qui ne sont pas toujours celles de la syntaxe normative ; ce qui est d'ailleurs naturel, car la règle a pour fonction de réduire quelque déficit ou quelque ambiguïté du système ; elle reflète toujours un déséquilibre et un trouble local ; l'usager n'aurait pas besoin de règles si la langue était parfaitement structurée et équilibrée. Nos règles d'accord sont caractéristiques à cet égard (cf. p. 123).

Recul diachronique, par ailleurs, qui nous permet de saisir l'évolution dans le temps, d'en observer la continuité et d'en définir les tendances qui, à l'instar des lignes de force d'un champ magnétique, structurent le système en attirant ou repoussant les milliards de paroles qu'écrivent et prononcent chaque jour les millions de Français.

Parmi ces modérateurs — ces auto-régulateurs naturels de la langue — qui en déterminent la forme à long terme en modérant l'usage *hic et nunc*, il faut placer au premier rang la séquence progressive et le rythme oxyton. La séquence progressive est l'ordre des mots, qui place le déterminant après le déterminé. Certaines langues ont une séquence progressive, d'autres une séquence régressive, beaucoup sont mixtes. Il semble que l'indo-européen archaïque ait eu une séquence purement régressive. L'allemand est relativement près de ce type ; l'anglais a la séquence progressive du noyau, sujet-verbe-objet, mais la séquence régressive du déterminant nominal (adjectif et complément de relation) ; il dit *white horse* (cheval blanc), *race horse* (cheval de course) et *horse race* (course de chevaux), c'est pourquoi beaucoup des sigles des grandes organisations internationales se trouvent inversés dans leur traduction française : U.N.O. > O.N.U., N.A.T.O. > O.T.A.N.

C'est que le français moderne a une séquence entièrement progressive. Le latin, en revanche, est régressif, et si ce fait n'apparaît pas toujours clairement, c'est que nous ne possédons guère que des textes littéraires et que, par ailleurs, la séquence n'étant pas grammaticalisée, le latin offre d'innombrables possibilités d'inversion stylistique.

Mais les mots-composés (critère essentiel à cet égard) sont régressifs en latin comme en grec, d'où la forme régressive de nos composés savants : *agriculture, régicide, chèvre-pied, fourmi-lion.*

Tous les composés français, en revanche, sont progressifs ou alors des calques étrangers (*quartier-maître, autoroute,* etc.). Les seuls composés français régressifs se comptent sur les doigts et sont tous très anciens : *banlieue, champart.*

De même le complément de relation est progressif dès les plus anciens textes ; seuls les *Serments de Strasbourg* portent encore : *pro Deo amor.* Des constructions du type : *la roi court* (la cour du roi) que l'on trouve dans certaines chansons de toile semblent bien être des archaïsmes délibérés.

On a montré aussi, plus haut, que l'adjectif qualificatif est normalement postposé ; mais ici le procès a été plus tardif et plus lent. Il a dû débuter vers les IVe-VIe siècles, époque pour laquelle la documentation nous fait défaut, et il s'est poursuivi durant tout le Moyen Age.

Les plus anciens documents attestent une époque de transition où la séquence varie, sans qu'il soit toujours possible de distinguer une différence de valeur. Mais la primauté de la séquence régressive y est bien attestée.

A défaut d'autre documentation sérieuse sur ce problème, voici une rudimentaire statistique établie par Damourette et Pichon dans leur *Essai de grammaire* (II, pp. 114-119) :

Ancien français (Xe-XIIIe siècles)...	85 %	(70 %)
Moyen français (XIVe-XVIe siècles) .	80 —	(68 —)
Fr. classique (XVIIe-XVIIIe siècles) ..	49 —	(41 —)
Fr. moderne (XIXe siècle)	36 —	(30 —)

Le premier pourcentage indique la proportion d'adjectifs antéposés, compte tenu des répétitions d'une même forme ; le second pourcentage (entre parenthèses) la proportion des adjectifs antéposés compte non tenu des répétitions. La comparaison entre les deux pourcentages montre que les adjectifs les plus fréquents (du type *grand*, *petit*, etc.) sont généralement antéposés (cf. *supra*, p. 109).

Ce tableau montre, par ailleurs, qu'il y a eu un renversement de la séquence qui a évolué progressivement (1).

Sans aller plus loin (le complément d'objet peut s'antéposer en ancien français), on peut conclure qu'il y a eu du latin au français un renversement de la séquence régressive, qui s'est amorcé à l'époque archaïque et s'est poursuivi durant tout le Moyen Age.

---

(1) Ces % sont très fragiles, il faudrait les refaire en tenant compte des valeurs d'opposition dans chaque syntagme (cf. p. 109).

La seconde tendance est d'ordre phonétique. Le latin accentue le mot sur la pénultième (avant-dernière) ou antépénultième syllabe. A l'origine l'accent a dû marquer la racine, partie sémantiquement forte du mot, c'est la situation qu'on retrouve — en gros — dans les langues romanes, germaniques, slaves. Or le français, seul de son espèce parmi les langues d'Europe, a perdu tous les sons post-toniques et l'accent, d'ailleurs très faible, tombe sur la dernière syllabe du mot ; il a un rythme entièrement oxyton.

Ce procès s'est déroulé en deux étapes. Dès les origines, le français n'a plus que deux sortes de mots : des oxytons et des paroxytons à finale atone qui est uniformément un *e* sourd (aujourd'hui *e* muet) ; au cours d'une évolution qui est à peine achevée, cet *e* atone s'amuït et la langue confond désormais : *chantée* et *chanté*, *noire* et *noir*. Il n'y a plus maintenant que des oxytons, les uns à finale vocalique (*grand, roi bois, fermer*, etc.), les autres à finale consonantique (*sac, verre, boîte*, etc.).

Ce phénomène — phonétique — a eu des conséquences syntaxiques considérables en entraînant la déchéance des désinences grammaticales pour transférer la marque en avant, sur l'article, sur le pronom, sur la préposition.

Par ce transfert le mot français retrouve l'accent sur le radical. Cette tendance est si profonde qu'elle attaque petit à petit la dérivation par suffixe à laquelle se substituent des auxiliaires antéposés :

— *faire* : chaud, pipi, vilain ;
— *avoir* : faim, la flemme ;
— *homme* : d'esprit, d'équipe, de lettres ;
— *petit* : garçon, chien.

De même aux adverbes de **manière** en *-ement* on

préfère des locutions prépositivées : *avec grâce*, *en vitesse*, *à la légère*, etc.

Tous ces tours résolvent la situation illogique qui fait porter l'accent sur une détermination secondaire et qui trouble la structuration du système ; car l'accentuation oxytonique du suffixe est une des causes qui contribue au caractère arbitraire du mot français en affaiblissant le sentiment de la dérivation ; dans des mots comme *vérité*, *blancheur*, etc., le suffixe accentué n'est pas senti comme un morphème, ni la forme comme un dérivé.

On voit donc que dans le même temps où elle renverse la séquence pour postposer les déterminants relationnels (séquence progressive), la langue antépose les marques de modalités jusqu'ici postposées (1).

Le français présente donc, sur ces deux points critiques, une situation qui est très exactement l'inverse de celle du latin. Or tous les principaux caractères qui définissent les deux langues présentent cette antinomie.

Le latin, paroxyton et régressif, est une langue flexionnelle qui possède un système de déclinaisons et de conjugaisons, là où le français a perdu ses déclinaisons et réduit ses conjugaisons.

Le système du latin repose sur l'opposition de modes (indicatif-subjonctif) et sur l'opposition d'aspect (parfait-imparfait) dont il ne reste plus que des vestiges en français. L'assiette du nom latin est établie sur un riche système de déictiques (démonstratifs) et un degré zéro ; celle du français sur un article obligatoire ; etc.

Le latin est en fait une langue étrangère au fran-

---

(1) Dans le cas d'un conflit entre les deux tendances il est remarquable de constater la primauté du rythme oxyton ; ainsi le complément d'objet est antéposé lorsqu'il est atone : *je le lui dis*.

çais et plus près de la plupart des autres langues d'Europe, en particulier de l'allemand. Et non seulement étrangers, latin et français sont antinomiques dans tous leurs principaux caractères opposés terme à terme.

Il faut méditer ce phénomène, puisqu'un postulat universellement accepté veut que le français vienne du latin. Ce postulat est faux, fondamentalement faux — au moins tel qu'il est conçu — et pèse lourd sur l'analyse, la classification et la terminologie (1) de notre grammaire, d'une part ; de l'autre, sur le contrôle et la définition de la norme ; enfin sur l'enseignement tant du latin que du français.

On défend l'enseignement du latin à partir de raisons linguistiques, littéraires, culturelles qui sont, la plupart du temps, fallacieuses ; mais il n'en constitue pas moins un admirable instrument pédagogique, d'abord parce que c'est une langue d'une pureté et d'une homogénéité de structure sans égales, ensuite parce que, totalement opposé au français, il sensibilise au maximum la conscience linguistique en imposant une analyse rigoureuse des formes et de leurs relations qui ne sont jamais transposables termes à termes.

Pour prendre un cas limite — et où éclate l'absurdité de notre pédagogie —, la poésie latine pourrait être un merveilleux instrument d'éducation de l'oreille poétique française, les deux systèmes prosodiques étant parfaitement opposés ; mais notre enseignement, sur ce point et sur quelques autres, n'est qu'une mystification.

Le français ne descend pas du latin, ou plutôt il en descend non par la voie d'une évolution directe mais par une mutation qui a inversé toutes les

---

(1) Cf. *supra* la définition du mot.

tendances et les caractères du système phonétique, morphologique et syntaxique latin.

Il en est résulté, au début du Moyen Age, un éclatement du système linguistique latin dont les morceaux dispersés se sont lentement regroupés en de nouvelles structures selon des lignes de forces entièrement différentes.

Il ne faut pas confondre cette restructuration avec l'évolution normale du langage.

Toute langue, en effet, est soumise à la pression de l'usage et c'est le rôle du grammairien — rôle très important — de contrôler cet usage, de le canaliser, de l'orienter et de le filtrer.

Mais il ne peut pas contrôler ces lourdes vagues de fond qui soulèvent la langue au cours de quelque accident de son histoire. Toute action locale, légitime dans l'instant, se révèle inefficace, voire néfaste à long terme. Le praticien doit « laisser faire la nature », comme on dit, faute de connaître l'ensemble des variables qui définissent le complexe ; ces variables sont précisément intégrées par ces auto-régulateurs naturels qui sont le principe du moindre effort, la loi de l'offre et de la demande, la lutte pour la vie, etc. Et ce n'est qu'à une date très récente que l'homme a commencé à entrevoir la possibilité d'une planification qui, la machine aidant, pourrait être substituée à la nature.

Mais pour en revenir à la syntaxe du français, les grammairiens classiques ont confondu le rôle du praticien et celui d'un technicien qui aurait conçu dans son ensemble le système grammatical et la crise qu'il traversait.

Imbus du désir très naturel de stabiliser et d'uniformiser l'idiome, ils l'ont fait trop tôt — un siècle trop tôt sans doute — et avant qu'il n'ait achevé le cycle de l'évolution qui le poussait vers son équilibre. De la sorte ils ont figé des archaïsmes mal intégrés, comme une mayonnaise prématurément fixée. Il est peu douteux que, laissée à elle-même, la langue aurait éliminé le plupart de ses irrégularités : pluriels, formes verbales, genres, etc. L'accord a fait l'objet d'une intervention particulièrement intempestive, à un moment où, ayant perdu sa valeur fonctionnelle, il survivait à l'état de vestiges en voie de disparition. La règle classique constitue même souvent une véritable régression, telle la fameuse règle de l'accord du participe.

Il semble, sans qu'on puisse exactement l'établir, qu'il ait sa source dans la période lointaine où le participe était tantôt verbe, tantôt adjectif et où on pouvait distinguer : *j'ai tiré* (verbe) *mon épée du fourreau* et *j'ai mon épée tirée* (adj.) *du fourreau*. Mais l'analyse des plus anciens textes est difficile, et l'usage semble attester une sorte de licence poétique. *La Chanson de Roland* porte conjointement et, sans doute, selon les besoins du vers :

Cruisedes a ses blanches armes (v. 2250)
Si a rendu ses armes (v. 2295)

Durant tout le Moyen Age l'emploi est erratique. Les grammairiens du début de la Renaissance, comme Dubois ou Palsgrave, réclament l'accord avec le participe *placé après* le complément d'objet ; c'est l'usage de Ronsard :

(la rose) qui ce matin avait desclose
Sa robe de pourpre au soleil.

Mais déjà Marot prescrit l'invariabilité dans ce cas. C'est la règle que fixent et imposent les grammairiens du XVIIe siècle à la suite de Vaugelas, sans nous donner autrement leur raison, sinon que lorsque le participe suit le substantif-objet, il en apparaît comme un déterminant.

L'accord n'est plus, en français moderne, qu'une source d'humiliations et de larmes innocentes. Rien n'est plus symptomatique, à cet égard, que l'arrêté ministériel du 26 février 1901 relatif à la simplification de l'enseignement de la syntaxe française ; la moitié des latitudes envisagées concerne des règles d'accord :

Accord de l'adjectif	*se faire fort* ou *forte de* ; *un courage et une foi nouveaux* ou *nouvelles* ; *nu-pieds* ou *nus-pieds* ; *une lettre franc* ou *franche de port* ; *elle avait l'air doux* ou *douce*.
Accord des numéraux...	*quatre cent* ou *quatre cents*.
Accord du verbe	*sa bonté, sa douceur la font* ou *la fait admirer* ; *ni la douceur ni la force n'y peut* ou *n'y peuvent rien* ; *un peu de connaissance suffit* ou *suffisent* ; *plus d'un était* ou *étaient* ; *c'est* ou *ce sont des montagnes*.
Accord du participe	*ci-joint* ou *ci-jointes les pièces* ; *des sauvages vivent errant* ou *errants dans les bois* ; *les livres que j'ai lu* ou *lus* ; *les fruits que je me suis laissé* ou *laissés prendre*.

Inutile de dire que ces prescriptions sont restées lettre-morte ; et l'historien de l'avenir s'ébahira qu'il ait fallu une intervention de l'Etat pour régler de tels enfantillages, et qu'il ait été impuissant à exorciser ces fantômes pédagogiques.

Ils continuent à nourrir l'angoisse grammaticale du français. J'ai sous les yeux les *Problèmes de langage* de M. Grevisse dont j'ai plaisir à souligner encore une fois l'universelle information, la compétence et la sagesse tempérée d'humour ; c'est dire qu'il n'est point en cause, pas plus d'ailleurs que ceux de mes confrères qui, en divers journaux, tiennent une tribune grammaticale avec une réelle autorité. Je voulais simplement dire que ces questions portent une fois sur deux sur des problèmes d'accord et de genre. Le livre de M. Grevisse, par exemple, comporte 75 articles dont 25 sont consacrés à des questions de vocabulaire *(avatar, responsable, s'avérer)* et 50 à des chroniques grammaticales dont 20 concernent des problèmes d'accord et de genre ; toujours les mêmes, d'ailleurs, depuis des générations : *ci-joint* ou *ci-jointes, vive* ou *vivent les vacances, un des hommes qui manqua* ou *qui manquèrent,* etc.

Tous ces conflits sont des crises d'adolescence qui auraient été liquidés si on n'en avait pas bloqué les issues naturelles en refoulant des tendances qui ont fini par créer un véritable complexe grammatical.

C'est là un des traits les plus curieux de notre nation. Le français a vécu une enfance pécheresse hantée par le chapelet vespéral des verbes irréguliers et la contrition dominicale de l'accord des participes. Il en garde cette angoisse, ces scrupules qui le poussent au confessionnal du casuiste patenté et qu'il ne faut pas confondre avec le légitime souci d'un style clair, juste, harmonieux, vigoureux...

Une règle est violée parce qu'elle fonctionne mal ; le devoir du grammairien, avant de la faire respecter, est d'apprécier la vraie nature de la faute et d'en reconnaître les véritables critères.

Le sens étymologique est un des plus douteux. Le terme exact, le sens précis, le mot propre sont, à coup sûr, un idéal auquel une langue doit viser ; aussi existe-t-il des idiomes qui ont un terme spécial pour désigner la queue de la vache, celle du cheval ou celle du chien ; d'autres ont des déclinaisons à 25 cas ou des conjugaisons à 6 modes.

Mais une telle richesse peut devenir encombrante ; elle alourdit le système, en masque les structures et en compromet l'harmonie. Aussi est-il bon, est-il nécessaire, que certains signes s'allègent de leur contenu sémantique. Une opposition du type *croire à-croire en*, peut constituer une valeur et une spécification utile dans certains cas, mais cette efflorescence du sens finit par recouvrir l'édifice grammatical et par en ronger lentement les lignes. Nos prépositions, en particulier, ne se sont jamais organisées en un système cohérent et leur emploi est une des plaies de notre syntaxe.

Certes on parle *pour* nouer des relations entre les idées, mais *en* établissant des rapports entre les formes, et chaque fois qu'on sacrifie le système des relations formelles à l'expression de quelques relations sémantiques on affaiblit la structure grammaticale, on en réduit l'efficacité et la prise sur la réalité sémantique.

Ainsi l'accord a pour fonction de marquer la relation verbe-sujet et non pas le nombre ; il ne fait qu'utiliser, à des fins syntaxiques, une possibilité formelle du signe. Ce rapport syntagmatique n'a pas pour fonction de pluraliser le verbe ou on tombe alors dans les pires arguties :

« Faut-il dire minuit sonne ou minuit sonnent ? — Il n'y a qu'un sujet — Oui mais j'entends douze coups — Alors on dit minuit et demi sonne ? — Evidemment, il n'y a qu'un coup — Mais il y a deux sujets ; et puis certaines pendules, etc.

A ce compte il faudrait admettre que les adjectifs ont un sexe et à partir de là, se demander si la queue du chat n'est pas masculine et celle de la chatte féminine ; ce qui peut, d'ailleurs être un mode de relation syntaxique — l'anglais oppose *his book* (son livre à lui) et *her book* (son livre à elle).

Mais il s'agit toujours d'une forme de relation et non d'un sens prêté au signe.

Au contraire, plus une marque syntaxique s'allège, mieux elle fonctionne.

Une autre des responsabilités du grammairien est de définir les limites sociales de la norme. Et il faut bien dire que le bon usage est trop souvent confondu avec le bel usage. Que le langage soit une mode, rien de plus naturel ; c'est l'usage qui fait la langue, c'est-à-dire les emplois imposés par l'exercice de la parole. Et il est légitime que cet usage soit défini par les plus soucieux du bien-dire, les plus habiles à s'exprimer, les plus cultivés et les plus expérimentés.

Il semble bien, toutefois, que cette culture ait trop souvent méconnu la vraie nature de la langue, de ses tendances profondes et de ses fonctions. Et il y a bien souvent, dans l'instinct populaire, plus de sagesse que dans la subtilité des doctes.

Si un jour on devait dire : *des vitrails, vous disez, du bon tabac, la cravate que j'ai mis* ou même, *je sais pas*, tous ces monstres qui violent une oreille façonnée par l'école et par la mode contribueraient à faire du français une langue plus simple, plus pure et plus universelle.

Mais il est difficile de préserver la langue contre l'inculture, le mauvais goût, la sottise, tout en respectant les libertés qui sauvegardent son devenir.

BIBLIOGRAPHIE SOMMAIRE

Kr. Nyrop, *Grammaire historique de la langue française* (6 vol.), 1899-1930.

J. Damourette et Ed. Pichon, *Essai de grammaire de la langue française*, 7 vol., 1911-1952.

G. Gougenheim, *Le système grammatical de la langue française*, Paris, 1939.

Ch. Bailly, *Linguistique et linguistique française*, Berne, 1950.

H. Frei, *La grammaire des fautes*, Paris, 1929.

M. Grevisse, *Le bon usage*, Gembloux, Paris, 1959 (7e éd.).

W. von Wartburg et P. Zumthor, *Précis de syntaxe du français contemporain*, Berne, 1958.

L. Foulet, *Petite syntaxe de l'ancien français*, Paris, 1930 (3e éd.).

L. Tesniere, *Eléments de syntaxe structurale*, Paris, 1959.

A. Blinkenberg, *L'ordre des mots en français moderne*, Copenhague, 1933.
— *Le problème de l'accord en français moderne*, Copenhague, 1950.
— *Le problème de la transitivité en français moderne*, Copenhague, 1960.

Kn. Togeby, *Structure immanente de la langue française*, Copenhague, 1951.

P. Guiraud, *La grammaire*, « Que sais-je ? », 1961.

M. Cohen, *Grammaire et style*, Paris, 1954.

G. de Boer, *Syntaxe du français moderne*, Leiden, 1947.

Kr. Sandfild, *Syntaxe du français contemporain*, Paris, 1936.

A. Haase, *Syntaxe française du XVIIe siècle*, Paris, 1928.

G. et R. Le Bidois, *Syntaxe du français moderne*, Paris, 1938.

TABLE DES MATIÈRES

	Pages
Introduction	5
Chapitre Premier. — **Définitions : bases d'une syntaxe structurale**	11

I. La terminologie traditionnelle, p. 11 ; II. Les catégories syntaxiques ou parties du discours, p. 14 ; III. Sens et valeurs, p. 19 ; IV. Degrés de spécification, p. 23 ; V. Catégories sémantiques, p. 27.

Chapitre II. — **Le mot et les modalités** 30

I. L'assiette du nom, p. 30 ; II. Les pronoms, p. 36 ; III. L'assiette du verbe, p. 38 ; IV. L'adjectif et l'adverbe, p. 46 ; V. Conclusions, p. 48.

Chapitre III. — **La proposition et les relations** 51

I. Les fonctions, p. 52 ; II. La forme : les rections, p. 57 ; III. La forme : les accords, p. 64 ; IV. La forme : séquence et cohésion, mise en relief, p. 65 ; V. La transposition, p. 69.

Chapitre IV. — **La phrase** 75

I. Les classifications, p. 75 ; II. Les propositions substantives, p. 79 ; III. Les propositions adjectives, p. 82 ; IV. Concordances et rections modales, p. 86 ; V. La coordination, p. 87 ; VI. Les types de phrases, p. 88.

Chapitre V. — **La syntaxe expressive** 93

I. La phrase locutive et la motivation expressive, p. 95 ; II. Objectivité et subjectivité : le passé narratif, p. 102 ; III. La place de l'adjectif, p. 109.

Conclusions. — **Les tendances du français** 115

TABLE ANALYTIQUE DE LA COLLECTION « QUE SAIS-JE ? »

BEAUX-ARTS 2	PHILOSOPHIE 1	SCIENCE POLITIQUE... 4
GÉOGRAPHIE 4	PSYCHOLOGIE 1	SCIENCES APPLIQUÉES 8
HISTOIRE 3	QUESTIONS SOCIALES . 5	SCIENCES PURES...... 6
LITTÉRATURE........ 2	RELIGIONS — MYTHES 1	SOCIOLOGIE 1
PÉDAGOGIE 1	SCIENCE ÉCONOMIQUE 5	SPORTS............... 8

PHILOSOPHIE

- Les grandes philosophies 47
- Les grands problèmes métaphysiques 623
- Les grandes doctrines morales . 658
- La philosophie antique 250
- La philosophie française 170
- La philosophie anglaise et américaine.................... 796
- La philosophie chinoise........ 707
- La philosophie indienne 932
- Histoire des idées en France ... 593
- Histoire de la libre pensée 848
- Socrate 899
- Platon et l'Académie 880
- Aristote et le Lycée 928
- Le stoïcisme 770
- L'épicurisme 810
- Le thomisme 587
- Les gnostiques 808
- Le personnalisme 395
- L'existentialisme 253
- La dialectique 363
- La phénoménologie 625
- La raison 680
- L'esthétique 635
- L'esthétique industrielle 957
- Les étapes de la logique 225
- La logique moderne 745
- La pensée arabe............... 915

SOCIOLOGIE

- Histoire de la sociologie....... 423
- Psychologie des mouvements sociaux 425
- Psychologie sociale 458
- Biologie sociale 738
- Sociologie de la campagne française 842
- Sociétés animales et société humaine 696
- Les relations humaines 672
- Les mentalités 545
- La guerre 577
- Sociologie de l'Algérie 803
- La vie américaine 774
- La vie anglaise 838
- Les masques 905

PSYCHOLOGIE

- Histoire de la psychologie 732
- La psychologie des peuples ... 798
- Physiologie de la conscience ... 333
- Physiologie des mœurs 613
- La psycho-physiologie humaine 188
- La psychanalyse............... 660
- La psychologie appliquée 218
- La psychotechnique 302
- Les tests mentaux 626
- Psychologie de l'enfant 369
- Psychologie des animaux 419
- Psychologie militaire 306
- La personnalité............... 758
- La caractérologie 380
- Physionomie et caractère 277
- La graphologie 256
- La cryptographie 116
- Les messages de nos sens 138
- La sensation 555
- Les sensations chez l'animal ... 576
- Les sentiments 322
- L'intelligence 210
- La mémoire 350
- La volonté 353
- L'imagination 649
- L'attention et ses maladies ... 541
- Les rêves 24
- L'inconscient 285
- Les passions 943
- L'adolescence................. 102

PÉDAGOGIE

- Histoire de l'éducation 310
- Histoire de l'enseignement en France 393
- Histoire de l'éducation technique 938
- L'éducation nouvelle........... 14
- L'éducation des enfants difficiles 71
- L'enfance délinquante 563
- Les droits de l'enfant 852
- Les insuccès scolaires 636
- L'orthographe 685
- Les méthodes en pédagogie ... 572
- Histoire du scoutisme 254
- Les institutions universitaires . 487
- Histoire des Universités 391
- La question scolaire en France . 864

RELIGIONS MYTHES

- Le mouvement œcuménique ... 841
- Les grandes religions 9
- L'au-delà 725
- Les institutions religieuses 454
- Histoire des ordres religieux ... 338
- Histoire du catholicisme 365
- Histoire du judaïsme 750
- L'Eglise orthodoxe............ 949
- Le droit canonique 779
- Histoire du protestantisme 427
- Les premiers chrétiens 551
- Les pèlerinages 666
- La Papauté à Avignon 630
- Les Papes de la Renaissance .. 575
- La Papauté contemporaine ... 209
- Le jansénisme 960
- Les Jésuites................... 936
- Les Eglises en Grande-Bretagne 837
- Histoire des missions françaises 405
- Les religions de l'Afrique noire . 632
- Le bouddhisme 468
- L'hindouisme 475

— 1 —

Le Yoga	643
L'Islam	355
Albigeois et Cathares	689
Les sociétés secrètes	515
Les Mormons	388
Le mysticisme	694
La mythologie grecque	582
Devins et oracles grecs	939
Histoire des légendes	670
Les pays légendaires devant la science	226
L'occultisme devant la science	161
La magie	413
La sorcellerie	756
Le spiritisme	641
La métapsychique	671
L'astrologie	508

● **Philologie–Linguistique**

Le langage et la pensée	698
L'écriture	653
La sémantique	655
La linguistique	570
La phonétique	637
La stylistique	646
La grammaire	788
Les locutions françaises	903
L'argot	700
Vie et mort des mots	270
Les noms de lieux	176
Les noms de personnes	235
Les noms des plantes	856
Les noms des fleurs	866
Les noms des arbres	861
Physiologie de la langue française	392
Histoire de la langue française	167
Proverbes et dictons français	706
Langue et littérature d'oc	324
Langue et littérature bretonnes	527
L'humour	877

LITTÉRATURE

● **Histoire de la littérature française**

Histoire de la poésie française	108
Troubadours et cours d'amour	422
La littérature française du Moyen Age	145
La littérature française de la Renaissance	85
La littérature française du siècle classique	95
La littérature française du siècle philosophique	128
La littérature française du siècle romantique	156
Le romantisme français	123
Le naturalisme	604
La littérature symboliste	82
Le surréalisme	432
Le roman français depuis 1900	108
Le théâtre en France depuis 1900	461
Sociologie de la littérature	777
La critique littéraire	664
L'art oratoire	544

● **Histoire des littératures étrangères**

La littérature allemande	101
La littérature américaine	407
La littérature anglaise	159
Les littératures celtiques	809
La littérature chinoise	296
La littérature espagnole	114
La littérature grecque	227
La littérature grecque moderne	560
Les littératures de l'Inde	503
La littérature italienne	715
La littérature japonaise	710
La littérature latine	327
La littérature russe	290
La littérature comparée	499

● **Architecture–Urbanisme**

Histoire de l'architecture	18
Les procédés modernes de construction	204
L'acoustique des bâtiments	930
L'urbanisme	187
L'urbanisme souterrain	533
Technique de l'urbanisme	609
L'art des jardins	618

● **Arts plastiques**

La critique d'art	806
Histoire de la peinture	66
L'impressionnisme	974
Technique de la peinture	435
La peinture moderne	28
Les estampes	135
Le baroque	923
L'art et la littérature fantastiques	907
Histoire de la sculpture	74
La sculpture en Europe	358
La céramique grecque	588
L'iconographie chrétienne	553
Les arts de l'Extrême-Orient	77
Les musées de France	447

BEAUX-ARTS

● **Arts appliqués**

Les arts du feu	45
Les tissus d'art	566
L'orfèvrerie	131
Les pierres précieuses	592
Le mobilier français	26
L'art du meuble à Paris au XVIIIe siècle	775
L'affiche	153
Histoire du livre	620

● **Musique**

Les formes de la musique	478
La notation musicale	514
Le solfège	959
Histoire de la musique	40
La musique française du Moyen Age et de la Renaissance	931
La musique française classique	878
La musique française contemp.	517
La musique étrangère contemp.	631
La musique allemande	894
La musique espagnole	823
La musique hongroise	816
Les maîtres du jazz	548
L'orchestre	495
L'orgue	276
Le clavecin	331
Le piano	263
Les instruments du quatuor	272
Les instruments à vent	267
Le chant choral	288
La mélodie et le lied	412
L'opéra et l'opéra-comique	278

BEAUX-ARTS

○ Théâtre - Danse
- Histoire du théâtre 160
- Histoire de la mise en scène... 309
- Technique du théâtre 859
- L'art du comédien 600
- Les grands comédiens (1400-1900) 879
- Les grands acteurs contemporains 887
- Histoire des marionnettes 845
- Histoire du ballet 177
- Technique de la danse 196

○ Cinéma - Radio
- Histoire du cinéma 81
- Technique du cinéma 118
- Esthétique du cinéma 751
- Radiodiffusion et télévision ... 760
- L'art radiophonique 504

HISTOIRE

● Histoire générale
- La vie préhistorique 535
- L'âge de la pierre 948
- L'âge du bronze 835
- Les civilisations anciennes du Proche-Orient 185
- Les premières civilisations de la Méditerranée 17
- Carthage 340
- Les guerres puniques.......... 888
- Babylone 292
- L'Egypte ancienne 247
- Les impérialismes antiques 320
- Le siècle de Périclès 347
- La vie dans la Grèce classique. 231
- Alexandre le Grand 622
- Les Etrusques 645
- Les origines de Rome 216
- La République romaine 686
- Le siècle d'Auguste 676
- La vie à Rome dans l'Antiquité. 596
- Les villes romaines 657
- Histoire de Byzance 107
- Les invasions barbares 556
- Les Croisades 157
- Les civilisations précolombiennes. 567
- Les civilisations africaines 606
- La Renaissance 345
- Pirates et flibustiers 554
- Contrebande et contrebandiers . 833
- L'esclavage................... 667
- La première guerre mondiale... 326
- La seconde guerre mondiale... 265
- Les mouvements clandestins en Europe (1939-1945)........... 946
- Entre la guerre et la paix..... 351
- Histoire de la civilisation européenne 947
- Histoire des doctrines militaires. 735
- La guerre psychologique 713
- La guerre révolutionnaire...... 826
- La fin des empires coloniaux .. 409
- Histoire des postes jusqu'à la Révolution 200
- Histoire des postes depuis la Révolution 260
- Histoire du timbre-poste 273
- Histoire de l'armée 298
- Histoire de l'armement 301
- Les Tsiganes 580

● Histoire de la France
- Histoire des Gaulois 206
- Les Gallo-Romains............ 314
- Charlemagne 471
- La formation de la France au Moyen Age 69
- La vie au Moyen Age 132
- Marchands et banquiers du Moyen Age 699
- Guillaume le Conquérant 799
- Jeanne d'Arc 211
- L'unité française............. 155
- Le siècle de Louis XIV 426
- L'Ancien Régime 925
- La Révolution française 142
- Robespierre 724
- Les Jacobins 190
- Napoléon 115
- La Révolution de 1848........ 295
- Le Second Empire 739
- La Commune.................. 581
- La IIIe République 520
- L'affaire Dreyfus 867
- Histoire de la colonisation française 452
- Histoire de la Résistance 429
- La Communauté 428

● Histoire des provinces françaises
- Histoire de l'Alsace 255
- Histoire de l'Anjou 934
- Histoire de l'Auvergne 144
- Histoire du Bourbonnais 862
- Histoire de la Bourgogne 746
- Histoire de la Bretagne 147
- Histoire de la Champagne 507
- Histoire de la Corse 262
- Histoire du Dauphiné 228
- Histoire de la Flandre et de l'Artois 375
- Histoire de la Franche-Comté.. 268
- Histoire de la Gascogne 462
- Histoire de la Guyenne 424
- Histoire du Languedoc 958
- Histoire du Limousin et de la Marche 441
- Histoire de la Lorraine 450
- Histoire de Lyon et du Lyonnais. 481
- Histoire du Maine 860
- Histoire de la Normandie 127
- Histoire de Paris 34
- Histoire de la Picardie 955
- Histoire du Poitou 332
- Histoire de la Provence 149
- Histoire de la Savoie 151
- Histoire de la Touraine 688

● Histoire par pays
- Histoire de l'Allemagne 186
- L'Allemagne de Hitler 624
- La République Démocratique Allemande 964
- Histoire de l'Autriche 222
- Histoire de la Belgique........ 319
- Histoire du Cambodge 916
- Histoire du Commonwealth ... 334
- Histoire de l'Espagne 275
- Histoire de Gibraltar.......... 674
- Histoire de la Grande-Bretagne. 282
- Histoire de la Grèce moderne . 578
- Histoire de l'Irlande 394
- Histoire de l'Italie 286

HISTOIRE

- L'unité italienne 942
- Histoire de la Sicile 728
- Histoire de Malte 509
- Histoire des Pays-Bas 490
- Histoire des pays scandinaves .. 704
- Histoire des Philippines 912
- Histoire de la Pologne 591
- Histoire de la Russie, des origines à 1917 248
- Histoire de la Suisse 140
- Histoire de la Turquie 539
- Histoire de l'U.R.S.S. 183
- Histoire de Venise 522
- Histoire de la Yougoslavie 675
- Histoire de l'Asie 25
- Histoire de l'Asie du Sud-Est.. 804
- La révolte de l'Asie 496
- Histoire de la Chine moderne .. 308
- La Chine populaire 840
- Histoire de l'Inde 489
- Histoire du Vietnam 398
- Histoire de l'Indonésie 801
- Histoire de l'Afrique 4
- Les Berbères 718
- Les Arabes 722
- L'Afrique précoloniale 241
- L'éveil politique africain 549
- Le panafricanisme 847
- Histoire de l'Egypte moderne .. 459
- L'Etat d'Israël 673
- Le Moyen-Orient 819
- Singapour et la Malaisie 869
- L'Arménie 851
- La Tunisie 318
- Le Maroc 439
- Bandœng et le réveil des anciens peuples colonisés 910
- Le Pakistan 970
- Histoire de l'Algérie 400
- La question arabe 303
- Histoire de l'Amérique latine .. 361
- Histoire du Mexique 574
- Histoire du Canada 232
- Histoire des Etats-Unis 38
- La guerre de Sécession 914
- Histoire de l'Océanie 75

● Sciences auxiliaires de l'histoire

- Les étapes de l'archéologie 54
- Les manuscrits de la mer Morte 953
- Dolmens et menhirs 764
- La numismatique antique 168
- L'épigraphie latine 534
- Les archives 805
- La généalogie 917
- La diplomatique 536
- Le protocole et les usages 963
- La bibliographie 708
- Les bibliothèques 944
- Musées et muséologie 904
- La noblesse 830
- La chevalerie 972
- Le blason 336
- Ordres et décorations 747
- La symbolique 749
- Le costume antique et médiéval. 501
- Le costume moderne et contemporain 505
- Histoire des soins de beauté ... 873

GÉOGRAPHIE

- Histoire de la géographie 65
- La découverte des mers 299
- Les océans 92
- Le fond des océans 621
- Les grands explorateurs 150
- Les expéditions polaires 73
- Biogéographie mondiale 590
- Géographie industrielle du monde 246
- Géographie sociale du monde .. 197
- Géographie agricole du monde . 212
- Géographie agricole de la France. 420
- Géographie cynégétique monde .. 807
- Géopolitique et géostratégie.... 693
- La cartographie 937
- Les terres australes 603
- Le Grand Nord 512
- Le Sibérie 736
- L'Amérique centrale 513
- Les Antilles françaises 516
- Le Brésil 628
- Le Chili 730
- La République Argentine 366
- L'Afrique occidentale française. 597
- L'A.E.F. et le Cameroun 633
- Le Sahara 766
- Madagascar 529
- L'Union sud-africaine 463
- Le Canal de Suez 681
- La Haute-Asie 573
- L'Océanie française 619
- Australie, Nouvelle-Zélande.... 611

SCIENCE POLITIQUE

- La science politique 909
- Les organisations internationales. 792
- Le monde atlantique 771
- Les régimes politiques 289
- Histoire des doctrines politiques en France 304
- La France dans le monde actuel. 876
- Les Constitutions de la France. 162
- L'Etat 616
- Les techniques parlementaires.. 786
- Le citoyen devant l'Etat 665
- La participation des Français à la politique 911
- L'administration régionale et locale de la France 598
- L'autorité 793
- Les groupes de pression 895
- Les techniciens et le pouvoir .. 881
- La propagande politique 448
- La presse dans le monde 414
- Histoire du journalisme 368
- L'opinion publique 701
- Histoire diplomatique 307
- La diplomatie française 129
- Le radicalisme 761
- Rapports de l'Eglise et de l'Etat 886
- L'O.N.U. 748
- L'O.T.A.N. 865
- Le Conseil de l'Europe 885
- Les Assemblées parlementaires européennes 858

● Droit et justice

- Le droit romain 195
- Le droit antique 924
- Le droit musulman 702
- Histoire du droit privé 408

Histoire du droit pénal 690
Histoire du droit public français. 755
Histoire de la justice 137
La justice en France.......... 612
Les droits naturels 920
Histoire de la police 257
La police scientifique 370
Le crime..................... 297
Les fraudes 839
Les prisons 493
Le droit de l'espace 883
La philosophie du droit 857
Sociologie du droit............ 951

SCIENCE ÉCONOMIQUE

● **Théories et généralités**
Les doctrines économiques 386
La C.E.C.A.................. 773
Le Marché commun........... 778
Le capitalisme................ 315
L'épargne et l'investissement .. 822
La bourse des valeurs et les opérations de bourse 825
Les jeux d'entreprises 892
La recherche opérationnelle 941
Les pays sous-développés 853
La crise de la pensée économique. 483
Les systèmes économiques 753
La politique économique 720
Les mécanismes économiques .. 27
Les espaces économiques 950
Les grands problèmes de l'économie contemporaine 182
L'économie planifiée 329
La structure économique de la France..................... 791
Les entreprises nationalisées ... 695
La bataille de l'énergie........ 863
La prévision économique 112
La consommation 697
La productivité............... 557
L'entreprise dans la vie économique 477
La coopération 821
La bureaucratie 712
La stratégie des trusts 120
La stratégie du fer 60
La lutte pour les denrées vitales. 80
La politique pétrolière internationale 891
La civilisation de 1975 279
Pourquoi nous travaillons 818
Histoire de demain 711
L'économie humaine 32
L'économie de l'alimentation... 639
Les prix 762
L'évolution des prix depuis cent ans 784

● **L'économie mondiale et les économies nationales**
Les grands marchés du monde. 608
L'économie mondiale 343
L'économie de la nouvelle Europe 396
L'économie française dans le monde..................... 191
L'économie de la zone franc .. 868
L'économie de l'Allemagne et de l'Autriche 283
L'économie de l'Europe centrale slave et danubienne......... 328
L'économie méditerranéenne ... 785
L'économie de l'U.R.S.S. 179
L'économie des Etats-Unis 232
L'économie de l'Amérique latine 357
L'économie du Moyen-Orient .. 473
L'économie du Commonwealth britannique 403
L'économie de l'Asie du Sud-Est 769
L'économie de l'Inde.......... 531
L'économie du Japon 811
Le Benelux 870

● **Statistique**
La statistique 281
La méthode statistique dans l'industrie...................... 451

● **Commerce**
Histoire du commerce......... 55
Technique de l'exportation 889
La publicité 274

● **Finances - Fiscalité**
Les finances publiques 415
Histoire de la banque 456
Technique de la banque 469
La comptabilité 111
Le bilan dans les entreprises .. 726
Les placements 406
Les assurances 76
Histoire de l'impôt 651
Les douanes.................. 846

● **Démographie**
La population 148
Les migrations humaines 224

QUESTIONS SOCIALES

Les classes sociales 341
Histoire de la propriété 36
Habitat et logement 763
La faim 719
Les origines de la bourgeoisie .. 269
Le socialisme................. 387
Le marxisme 300
L'anarchisme 479
Histoire du travail............ 164
Le travail ouvrier 349
L'organisation internationale du travail..................... 836
L'organisation scientifique du travail..................... 125
La rémunération du travail.... 654
La condition ouvrière en France depuis cent ans 433
Le syndicalisme en France 585
Le syndicalisme dans le monde. 356
La Sécurité sociale............ 294
La Croix-Rouge internationale . 831
La médecine du travail........ 166
La sélection des cadres........ 379
L'orientation professionnelle ... 121
Le niveau de vie en France ... 371

● **Histoire des sciences**
Histoire de l'astronomie 165
Histoire des mathématiques ... 42
Histoire de la physique 421
Histoire de la mécanique...... 130
Histoire de la chimie......... 35
La science des Chaldéens 893
Les étapes de la biologie 1
Histoire de la médecine 31
Histoire de la médecine vétérinaire 584
Histoire de la chirurgie........ 935

SCIENCES PURES

Histoire du calcul 198
Histoire de la géométrie 109
La recherche scientifique 781

● Astronomie
L'astronomie sans télescope 13
L'univers 687
Le soleil et son rayonnement ... 230
Les planètes 383
La vie et la mort des étoiles .. 330
La terre et la lune 875
Les éclipses 940

● Mathématiques
Les nombres premiers 571
L'analyse mathématique 378
Calcul vectoriel et calcul tensoriel 418
Calcul différentiel et intégral ... 466
Calcul matriciel 927
Le calcul mécanique 367
Le calcul mental 605
L'algèbre moderne 661
Les logarithmes 850
La trigonométrie 692
La géométrie descriptive 521
La géométrie contemporaine ... 401
La symétrie 743
Courbes et surfaces 564
La mécanique ondulatoire 311
La balistique 470
Les probabilités et la vie 91
Probabilité et certitude 445
Les certitudes du hasard 3
L'exploitation du hasard 57
La relativité 37
La mesure du temps 97
Le calendrier 203

● Physique
Les mesures physiques 244
De la loupe au microscope électronique 453
Matière, électricité, énergie .. 291
Electricité-Magnétisme 243
Les radiations nucléaires 844
Les rayons X 70
Les rayons cosmiques 729
La cellule photo-électrique .. 280
La lumière 48
Le froid 122
La chaleur 261
Les hautes températures 956
Le feu 532
L'eau 266
La neige 538
La glace et les glaciers 562
Le vide et ses applications .. 430
La cybernétique 638
L'acoustique appliquée 385
Optique théorique 615
L'optique astronomique 652
La luminescence 921
Le son 293
Les ultrasons 21
Les phénomènes vibratoires ... 323
L'électron et son utilisation industrielle 175
Les quanta et la vie 530
La structure moléculaire 602
L'énergie atomique 317
De l'atome à l'étoile 2

Radium, radioactivité, énergie nucléaire 33
La spectroscopie 511
L'ultra-violet 662
L'infrarouge 497
Matière et antimatière 767
Le secret des couleurs 220
La reproduction des couleurs .. 472
La météorologie 89
Mécanique élémentaire 906
La résistance des matériaux ... 599
Le contrôle des matériaux 815
La mécanique des solides 579
La corrosion des métaux 843
L'énergie 648

● Chimie
La chimie générale 207
La chimie organique 485
L'analyse chimique 189
La géochimie 759
L'électrochimie 437
La chimie électronique 874
L'alchimie 506
L'état gazeux 389
L'hydrogène 526
Catalyse et catalyseurs 240
Les fermentations 524
Les enzymes 434
Les protéines 679
Les colloïdes 104
Chimie de la beauté 901
Les insecticides 829

○ Géologie - Physique du globe
La topographie 744
Etude physique de la Terre ... 67
La spéléologie 709
La géologie 525
Histoire de la géologie 962
Les fossiles 668
Géologie de la France 443
La géologie de la région parisienne 854
La terre et son histoire 16
La biologie des sols 399
La génétique des sols 352
La radioactivité des roches ... 741
La minéralogie 794
La pétrochimie dans le monde .. 787
Minerais et terres rares 640
Les eaux souterraines 455
Vagues, marées, courants marins 438
Séismes et volcans 217
L'hydrologie 884
La vie créatrice de roches ... 20
Les roches 519
Les roches éruptives 542
Les roches métamorphiques ... 647
Les roches sédimentaires 595
L'érosion 491
Les déserts 500
Les montagnes 682
L'or 776

● Biologie
Rythmes et cycles biologiques . 734
La physique de la vie 184
La chimie des êtres vivants ... 163
Les microbes 53
Pasteur et la microbiologie ... 467
Le phosphore et la vie 373

SCIENCES PURES

Le potassium et la vie 650
Le calcium et la vie 757
Le magnésium et la vie 872
La vie sexuelle 727
La vie en haute altitude 629
L'embryologie 68
L'hérédité humaine 181
Génétique et hérédité 113
La biométrie 871
Le moteur vivant 181
La fécondation 390
Les hormones 39
La sexualité 50
La douleur 252
La chaleur animale 205
La naissance 663
La croissance 78
La mort 236
Les origines de la vie 446
Le transformisme 502
La genèse de l'humanité 106
L'origine des espèces 141
Les races humaines 146

● **Zoologie**
Origine des animaux domestiques 271
L'homme contre l'animal 737
La sélection animale 215
Les migrations des animaux ... 51
Les insectes et l'homme 83
Le parasitisme 117
Le peuple des abeilles 6
Le peuple des termites 213
Les papillons 797
La vie dans les mers 72
La vie dans les eaux douces ... 233
Les poissons 642
Les coquillages comestibles 416
Les singes anthropoïdes 202
Le cheval 360
Les chiens 552

● **Botanique**
Histoire des fleurs 954
La vie des plantes 772
Origine des plantes cultivées ... 79
La sélection végétale 219
La biologie végétale 492
La physiologie végétale 287
Les tropismes 482
L'énergie chlorophyllienne 716
La greffe végétale 814
La nutrition des plantes 849
La croissance des végétaux 898
Lumière et floraison 897
Le pollen 783
Les mouvements des végétaux . 569
L'énergie chlorophyllienne 583
Genèse de la flore terrestre 201
Géographie botanique 313
Arboriculture et production fruitière 967
La vigne et sa culture 969
Les alcaloïdes et les plantes alcaloïfères 154
Les champignons 812
Les algues 918

● **Médecine**
La technique sanitaire 803
La santé dans le monde 782
Les hôpitaux en France 795
La médecine légale judiciaire .. 789
La médecine militaire 926
Les défenses de l'organisme.... 5
Les thérapeutiques modernes .. 922
La puériculture 740
La stérilité 961
La longévité 754
Gérontologie et gériatrie 919
Médicaments et médications ... 245
L'analyse biochimique médicale . 731
La relaxation 929
L'acupuncture 705
L'homéopathie 677
La guérison 684
L'alimentation humaine 22
Les régimes alimentaires 178
Les vitamines 12
Les eaux minérales et l'organisme humain 229
La peau 558
Le sang 194
Les dents 488
Les glandes endocrines 523
Les climats et l'organisme humain 171
Les poussières 717
Le bruit 855
Les virus 945
Le paludisme 594
La tuberculose 15
Le cancer 11
Le diabète 124
Le rhumatisme 780
Les épidémies 607
Le péril vénérien 58
Le cœur et ses maladies 518
L'audition 484
La voix 627
Les sourds-muets 444
La vision 528
L'hygiène de la vue 614
La vie des aveugles 152
Le goût et les saveurs 460
Les thérapeutiques psychiatriques 691
La psychiatrie sociale 669
Psychoses et névroses 221
Hypnose et suggestion 457
La psychothérapie 480
La médecine psychosomatique.. 656
La médecine du travail 166
Le tonus mental 474
L'électricité cérébrale 410
La chimie du cerveau 94
Le cerveau humain 768
Le système nerveux et ses inconnues 8
L'équilibre sympathique 565
La fatigue 733
L'âge critique 601
La toxicologie 61
Les toxicomanies 586
L'alcoolisme 634

● **Techniques et industries**
Histoire des techniques 126
L'automation 723
Les routes 828
Les ordinateurs électroniques .. 832
Le langage électronique 900

— 7 —

SCIENCES APPLIQUÉES

- Le calcul électronique 882
- La machine à traduire 834
- L'industrie automobile 744
- Le charbon 193
- L'industrie du gaz 239
- La houille blanche 540
- Les centrales thermiques 913
- Le goudron de houille 402
- Le pétrole 158
- Le gaz naturel dans le monde . 896
- Les carburants nouveaux 933
- Les étapes de la métallurgie... 96
- Les techniques de la métallurgie. 134
- Les mines 465
- Le cuivre et le nickel 510
- L'acier 561
- L'aluminium et les alliages légers. 543
- Les alliages métalliques 173
- Les aciers spéciaux 890
- Les moteurs 316
- Automates, automatisme, automation 29
- Histoire de la vitesse 88
- L'industrie aéronautique 742
- Les avions 169
- Les étapes de l'aviation 172
- Le pilotage des avions modernes. 348
- La propulsion des avions 364
- Le vol des avions 827
- Le matériel volant 362
- Les transports aériens 359
- La navigation aérienne 559
- L'aérodynamique 752
- Le vol supersonique 800
- Les satellites artificiels 813
- Les fusées 765
- Les hélicoptères 721
- Le parachute 817
- L'astronautique 397
- Les navires 411
- Histoire de la marine française. 342
- Histoire de la navigation 43
- Technique de la navigation ... 498
- La navigation intérieure en France 694
- La marine marchande 376
- La manœuvre des navires 659
- Radionavigation et radioguidage. 41
- Le radar 381
- Les ports maritimes 100
- La mer, source d'énergie 431
- Les chemins de fer 86
- La photographie 174
- Les télécommunications 335
- Le téléphone 251
- La T.S.F. 99
- Les stations de radiodiffusion .. 214
- La télévision 30
- L'éclairage 346
- L'équipement électrique de la France 59
- Histoire de l'électricité 7
- Le chauffage des habitations... 249
- Les arts ménagers 449
- Les grands travaux 105
- Les industries mécaniques 486
- Les industries de l'alimentation. 110
- Les conserves 683
- La grande industrie chimique minérale 284
- La grande industrie chimique organique 436
- Les colorants 119
- Les corps gras 234
- Les plastiques 312
- Les matières premières de synthèse 93
- Caoutchoucs et textiles synthétiques 973
- Poudres et explosifs 259
- Odeurs et parfums 344
- Le sel 339
- Le verre 264
- La filature 537
- Le tissage 546
- Les industries de la soierie..... 975
- Cuirs et peaux 258
- La bière et la brasserie 440
- Les systèmes sténographiques .. 790

● **Élevage**
- Le lait et l'industrie laitière ... 377
- La viande 374
- La laine 464
- Les fourrures 384
- L'exploitation rationnelle des abeilles 19
- Les pêches maritimes 199
- La pisciculture 617

● **Agriculture**
- Le destin de l'agriculture française 354
- Les climats et l'agriculture 824
- La défense de nos cultures ... 56
- La vie rurale en France....... 242
- Les engrais et la fumure 703
- Le machinisme agricole 476
- Le blé 103
- La pomme de terre 372
- Le sucre 417
- Les vins de France 208
- Biologie du vin.............. 442
- La chimie du vin............ 908
- L'agriculture coloniale 62
- Les fruits exotiques 237
- Le coton.................... 90
- Le caoutchouc............... 136
- Le riz 305
- Le café 139
- Le cacao 644
- Le tabac................... 87

● **Sylviculture**
- Le bois 382
- Industries et commerce du bois. 404
- Forêts vierges et bois tropicaux. 143

SPORTS

- Histoire du sport 337
- Technique du sport 63
- Physiologie du sport 133
- L'éducation physique 138
- Les sports de la montagne ... 325
- L'équitation 902
- Le vol à voile 547
- Le yachting 820
- Le rugby 952
- L'exploration sous-marine 589
- La tauromachie 568
- La chasse en plaine et au bois . 192
- La chasse en montagne, au marais et en mer 321
- La chasse à courre 610